LINE公式アカウントの達人が教える

超簡単！

SNS仕事術

「1人で月商100万円」への超ショートカット法

堤 建拓

Tsutsumi Takehiro

CCCメディアハウス

はじめに

「自己資金はほとんどない。起業経験もない。でもせっかくSNSが無料で使えるし、なんとか自分のビジネスで喜んでもらえる人を増やせないかなぁ……。そして自分自身も自由にライフスタイルを決めて、好きなときに働けないかなぁ……」

誰しも自分自身の働き方や生き方を振り返り、「本当にこのままでいいのか？」と思うことがあるかもしれません。

昨今の副業・複業を促進する時代の流れもあり、自分でビジネスを始めることのハードルは低くなっているように思われます。

しかし、そんな中、私たちの価値観そのものを根底から揺るがす事態が発生しました。そう、2020年の初めから世界を襲った新型コロナウイルスのパンデミックです。

コロナ禍で世界中がダメージを受けている今、廃業を余儀なくされる企業や失職する個人が相次いでいます。そうした苦境を乗り越えるべく、新たなチャレンジ（独立・起業、あるいは新規事業の立ち上げなど）を決めた方も少なくないかもしれません。

また、独立・起業したばかりのタイミングで新型コロナウイルスが蔓延し、現状を不安に思っている方もいらっしゃるかと思います。

この本は、先行きが見えない中で、勇気ある決断をされた、あなたに向けて書いた本です。実は私も、現在の経済状況とは違いますが、先行きが見えない不安の中で起業した経験があります。

「貯金残高6万円」の私を救ってくれたSNS

私は2017年1月に、名古屋駅近くに小さな英会話スクールをオープンさせました。私が独立したとき、社会人経験はたった1年半でした。社会的に見れば、ビジネス経験があるとは到底言えません。さらに、前職の勤務地であった大阪から、地元の名古屋に引っ越したら、貯金残高が6万円になってしまいました。自己資金の金額という意味では、かなりの逆アドバンテージです（笑）。

もう1つ付け足して言うなら、私は決して友だちが多い方ではなく、起業に有利なコネがあったわけでもありません。

言うなれば、**「起業経験なし・コネなし・自己資金なしの20代草食男子がいきなり独立した」**のです。

「このままでは来月には借金を背負ってしまう。でもアルバイト三昧の生活は嫌だし、せっかくならば自分のビジネス1本で食っていきたい！」

と腹を括り、英会話スクールを始めたことを今でも覚えています。

そんな状況の中、私を救ってくれた救世主。それが「SNS」だったのです。今やFacebook、Instagram、Twitter、YouTube、LINE公式アカウント（LINEのビジネス向けサービス。旧LINE@）などあまたのSNSが存在します。そしてこれらはほとんどの場合、自分のビジネスのことを無料で宣伝・告知できます。**本書では、なるべく資金を使わず、無料でSNSを徹底的に活用する方法をお伝えしていきます**。

以下では本書の構成を紹介しつつ、できるだけ早く「月商100万円を達成するSNS仕事術」とは何かを説明します。

第1章では、数あるSNSの特徴を理解し、あなたに合ったSNSとは何かを診断することにポイントをおいています。独立・起業すると、とにかく時間がありません。営業・実務・経理・その他雑務も全て1人で行う必要があります。当然、全ての種類のSNSを使う時間はないでしょう。

第1章を読むと、各SNSの特徴をしっかり理解し、「私はこれを使う！」という判断が明確にできるようになります。むやみやたらにSNS発信して、疲弊してしまう……ということがなくなります。どんな状況のときに、どのSNSを使っていくのかを明確にしていきましょう。

第2章では、LINE公式アカウントの活用法について記しています。実はこのLINE公式アカウント、1回配信するだけで、数十万円、ときには数百万円を売り上げてしまうという魔法のツールなのです。私はすでにLINE公式アカウントの専門家として、2冊ほどLINE公式アカウント活用本を世に送り出しています。LINE公式アカウントほど安価で効果の出るツールは他にありません。

この章でも、「最小の労力で最大の効果を出す」をモットーに、これだけおさえておけばOK、というスタンスで記していきます。**第2章さえ読めばLINE公式アカウントの90%は理解できる**、と言っても過言ではありません。

第3章では、「SNS上のコミュニケーションの法則」についてお話しします。第3章の要点は「あなたがこれまで無意識に行っていたSNS上のメッセージのやりとりが、ほんの少し意識を変えるだけで営業・販促に変わる」と言い換えることもできます。実は私自身、このSNS上のコミュニケーションを徹底的に意識して、始めたばかりの英会話スクールに生徒を集めました。

起業すると、おそらく最初は知人・友人へ告知をすることになります。私の場合、知人に英会話スクールの無料体験レッスンを受けてもらい、そこから生徒になってもらいました。しばらく連絡を取っていなかった人に「英会話スクールを始めたから、無料体験に来ませんか？」と言ったところで、それだけで来てもらえるほど甘い世界ではありません。

そこではSNS上のコミュニケーションをひとひねりもふたひねりも工夫する必要があります。私は実際にこの方法を使い、開業した2017年度に英会話スクール無料体験者を54人集め、その中の50人を入学につなげることができました。

単なるSNSのやりとりを、営業・販促に変えてしまう、魔法のルールや戦略を楽しみにしていてください。

そして**第4章は「集客」についてです**。SNSで集客と言うと、いかにフォロワーを多く集めるか、と勘違いをする方もいますが、実際はそうではありません。

SNSで集客するならば、まず理解しておきたいこと。それがフォロワーの「濃さ」です。10,000人の「薄い」フォロワーがいるよりも、**100人でいいから「濃い」フォロワーがいること**。これが大切なのです。あなたの集客に対するイメージを根本的に変えるとともに、フォロワーを**「集める」のではなく、「集まる」仕組みを考えること**。この2点に絞ってお伝えしていきます。

自分に合ったSNSがわかり、集客もできるようになったら、次はいかに売り上げを立てていくかにフォーカスします。**第5章は、売り上げを最大化するための発信・配信についてです**。

例えば、LINE公式アカウントに友だちが100人集まったとして、そこに商品やサービスの購入を促す配信をしたとします。100人への配信で1人が購入してくれるのならば、1%の反応率です。ところが、発信・配信を工夫していくことで、この率を2倍、3倍に引き上げていくことは可能です。シンプルに言えば、反応率を1%→2%に変えられれば、売り上げも2倍です。

最後の**第6章では、起業家としてのマインドセットや「在り方」について述べます**。実はこれが一番大切であると、今振り返ると思います。私は現在、当初の英会話スクール運営から事業を拡大し、LINE公式アカウントの専門家として様々な企業や個人事業主のビジネスをお手伝いしています。日常の業務ではすでに独立した方やフリーランスの方、数十名とお仕事をご一緒しています。

こうして関わっていくと、「この人にはもう頼みたくないな……」、逆に「この方にはもっと仕事を依頼したい！」と思うことが頻繁にあるのです。

その中で見えてきたことがあります。売れる起業家は「原価率が高い」のです。あえて難しい言葉を使いましたが、この「原価率が高い」とはどういうことなのか、最終章で紐解いていければと思います。

月商100万円への「超」近道がわかる

第1章・第2章で自分に合ったSNSがわかります。第3章で単なるやりとりを営業・販促に変えるSNSコミュニケーションを学びます。第4章で集客について理解し、集客できたところで、第5章では売り上げを最大化するための公式を理解します。最後に第6章では、起業家として必要な資質を改めて理解することで、さらに売り上げを伸ばしていくことに焦点を当てました。

私は独立してから月商50万円を達成するのに8か月かかりました。月商100万円、200万円ということでいうと、1年以上かかっています。固定費や必要経費がほとんどかかっていない「超」スモールビジネスであるとはいえ、月商500万円までには実に3年かかりました。この期間を長いと見るか、短いと見るかは人それぞれですが、今こうして振り返ると「目標達成には、ここだけおさえておけばよかったんだ！」と思うことが山ほど存在します。

月商が200万円以上になってくると、スタッフの教育など、自分1人では解決できない問題も出てきます。しかし、月商100万円程度であれば、1人でもやり方次第でなんとかなります。「やろう！」と思えば、今すぐ頑張って、最短期間で達成できます。それでいて、本書ではほとんど経費をかけずに実践できる方法ばかりを記述していますので、利益率は少なくとも70～80%は見込めると思います。

本書には、あなたが1人で月商100万円を達成するために、私自身のゼロベースからの経験とノウハウを惜しみなく書き込みました。月商100万円達成のための超ショートカット法として活用いただければ幸いです。

堤 建拓

Contents

第5章

第6章

本書をお読みいただく前に

◉本書に記載の会社名、サービス名、製品名などは各社の商号、商標、または登録商標です。読みやすさを考慮し™、©、®は割愛しています。

◉本書で紹介したSNSアプリのサービス内容やURL、画面キャプチャー等は2020年6月下旬時点の内容であり、予告なく変更される可能性があります。

◉本書に記載された内容はすべて著者の個人的見解に基づくものです。また、本書掲載のQRコードは、勧誘や販売目的ではありません。

企画協力：松尾昭仁（ネクストサービス）
出版プロデュース：中野健彦（ブックリンケージ）
編　　集：及川孝樹
デザイン：おおつかさやか
制作進行：川嵜洋平（プリ・テック）

第1章

あなたのビジネスに
タダで使える
SNSはこれ!

1-1

個人起業家・フリーランスは どのSNS・Webサービスを使うべきか

高校生や中学生でもSNSで稼げる時代

私たちはとてもよい時代に生まれました。ほんの10年前、20年前くらい前までは、何か商品の宣伝をしようと思ったら、資金を大量に投入した、メディアやインターネットを使った広告が中心でした。しかし、今や**誰もが無料で使えるSNSを駆使して、集客できる時代**になっています。SNSを使い倒せば、最近では高校生や中学生でも稼げる時代になっているのです。

本書を書いている私自身も、20代で英会話スクール運営で起業した当初は、まさに金なし、コネなしの状態でした。起業1か月目、貯金残高が6万円でスタートしたことを今でも覚えています。そんな私でもSNSやWebを駆使して、お客様を集めることができました。さらには独立1年目ながら、独自の英会話スクールをフランチャイズで展開、名古屋地域に5校のスクールを開くまでになりました。

その後、自社のスクール運営のために蓄積したSNSやWebマーケティングのノウハウについて、様々な業種・業態の経営者から質問を受けるようになりました。その上でわかったことがあります。それは、**見込みのお客様に情報がダイレクトに届くプッシュ型のツールを、まずは使えるようになった方がよい**ということです。プッシュ型の代表的なツールにはメールマガジン、そしてLINE公式アカウント（相手と文字のやりとりや通話ができる無料SNS「LINE」のビジネス向けサービス。旧LINE@）があります。

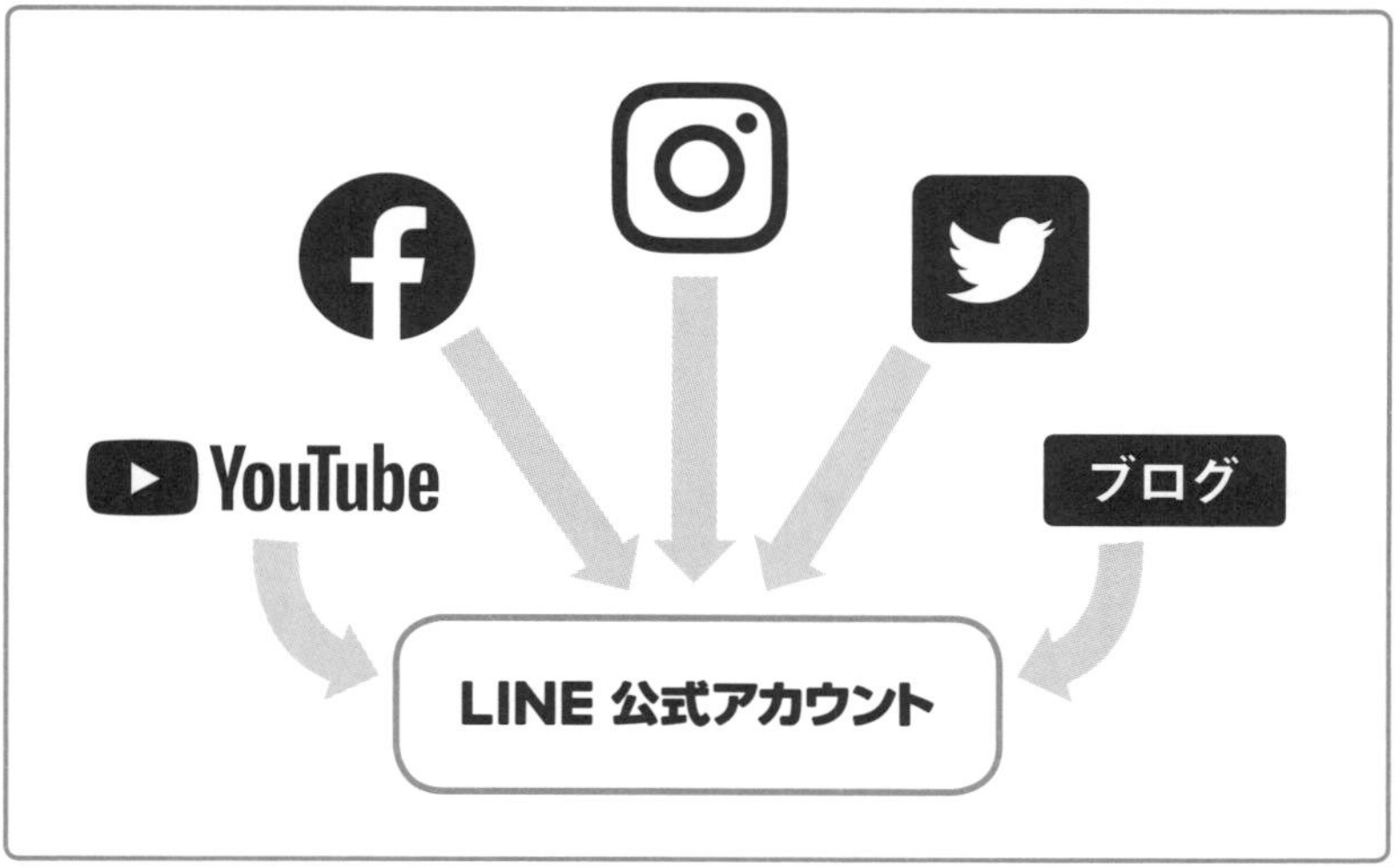

図1-1 LINE公式アカウントに各 SNS からの導線を組むようにします。

これからあなたが起業して集客や売り上げ UP を考えるなら、まずはどちらかを始める必要があります。**本書ではメルマガではなく、LINE公式アカウントを中心に解説**していきます。LINE公式アカウントをおすすめする理由は第 2 章で詳しく解説しますが、端的に言うと初心者でも始めやすいからです。まずはここで図 1-1 をご覧ください。

図 1-1 は SNS や Web で集客する際の基本的なイメージです。まず、勘違いしてはいけないのは、Facebook や Instagram で友だちやフォロワーを集め、自分の商品を投稿したらすぐに商品やサービスが売れるわけではない、ということです。SNS や Web を使ったマーケティングには必ず導線があります。

Facebook、Instagram、Twitter、YouTube の「単体」で商品を買ってもらう難易度は高いです。そこで、これら認知のための SNS を使って、LINE公式アカウントに全てのフォロワー、友だちを集約させます。そしてこのLINE公式アカウントを使って、あなた自身のこと、あなたのサービスが有益であることなどをダイレクトに見込みのお客様に届けていきます。何度か配信を見てもらううちに、ようやくあなたの商品やサービスを買ってもらえるようになります。

全てのSNSを使いこなす必要はない

この分野の専門家として、私がよく聞かれること。それは、

「様々なSNSがありますが、全部のSNSをやった方がいいですか？」

という質問です。答えは完全に「否」です。個人起業家の場合、いざ起業したら、集客・営業・実務・経理・雑務など全ての業務を自分でこなす必要があります。集客するために、3つも4つもSNSを使っている暇など到底ありません。だからこそ、**使うSNSはあなたに合わせて絞った方が絶対にいい**のです。

その際、図1-1で見たように、各SNSからLINE公式アカウントに誘導するようなイメージを持つことが重要です。つまり、**あなたに合ったSNSとLINE公式アカウントの2つに絞ればOK**です。この、あなたに合ったSNSは何かを知るために、第1章の中盤以降でそれぞれの特徴を見ていきます。

では次に、SNS・Webを使って集客し、売り上げを立てていくための基本的な考え方・マーケティング戦略をもう少しお伝えしていくことにしましょう。

1-2 SNS・Webをまるっと理解して「月商100万円達成」までを逆算する

逆算思考で目標を細分化する

具体的なイメージをつかんでいただくために例を出します。いざ起業するとなると、最近では初期投資をなるべく抑えてスモールビジネスでスタートすることが多いですね。私自身も、英会話講師という原価が全くかからない形でスタートしました。つまり、自分のスキルやノウハウを売るケースですね。

ここでは、あなたが英会話講師であると仮定して、どのようにSNSを使って売り上げを立てていくのかを（なるべく簡略化して）シミュレーションしてみます。このとき大切になるのが「逆算思考」です。

月にいくら売り上げを立てるかという目標を明確にし、そこから逆算してどのように行動するのかを決める。例えば、今回は月に100万円を英会話講師として売り上げるケースを一緒に考えていきましょう。

価格が安ければお客さんが来る?

月商100万円を目指すSNS戦略を語る前に、少し大事な話をさせてください。私が独立当初に失敗した話です。英会話スクールをスタートさせた私は、シンプルに3つの商品を用意していました。いずれも英会話レッスンであることには変わりありませんが、その内容と価格は図1-2のようにそれぞれ少しずつ異なっていました。

コース名	シルバーコース	ゴールドコース	プライベートコース
レッスン内容	月に2回の英会話 グループレッスン	月に3回の英会話 グループレッスン	月4回のマンツーマンの英会話レッスン
価格	6,000円/月	8,000円/月	20,000円/月

図1-2 筆者の起業当初の英会話スクールレッスンコース。

ここで何が言いたいかというと、独立当初の私は価格設定に失敗した、ということです。当時の私は「価格を安くすればたくさんお客さんが集まるだろう」と考えていました。

しかし、目標が月商100万円なのであれば、計算上、最低でもプライベートコース（月20,000円）の生徒さんを50名集めないといけません。月のレッスン数にしたら、200レッスンです。集客や他の雑務もしながら月に200レッスンを1人でこなすのは、至難の業です。

しかも、価格を安くすれば集まるだろうと思ったお客様も当初は全く集まりませんでした。なぜならば、安い分、それだけ生徒さんへのサポートも手薄になり、結果的に満足のいくレッスンができなかったからです。

もちろん、こうした低価格のサービスもあった方がいいかもしれませんが、一方で高単価かつ高い満足度を得られるサービスを設計することも重要です。

実は、価格で勝負するのは、大手の戦略です。**私たち弱者の戦略は、自分たちにしかできない品質のよいサービスを徹底し、高単価な報酬を得ること**です。独立当初の私も、その後の数か月で高単価なサービスを展開しました。

皆さんはプライベートジムなどを全国展開する「ライザップ」をご存知かと思います。同社のサービスは高単価ではあるけれど、クライアントの管理やサポートを徹底しています。

私はこれの英会話バージョンを商品設計しました。価格は50,000円／月で、月に合計20時間ほどのグループレッスン。さらに一人ひとりの英会話レベルを徹底的に管理しました。この最初に作ったサービスに8名の入会があり、これだけで安定して毎月40万円の売り上げを立てられるようになりました。

しかし、これでも実際には月商100万円に届くのは難しいですね。月商100万円をまず目標にするのであれば、逆算して次のように考えてもよいでしょう。

月商100万円を達成するためには、35万円のサービスであれば、月に3名の成約だけで十分ということです。

高単価なサービスの成約には、それだけ中身が濃いものである必要がありますが、少なくとも1万円のサービスを100名に販売するよりはずっと簡単です。

本書はSNSマーケティングの本であり、商品設計がメインではありませんので、ここまでに留めておきますが、商品設計と価格帯には十分注意して展開していきましょう。

1-3

あなたのためのSNS活用診断①
YouTubeは「話し好きの聞き上手」に向いている

ビジネス系のYouTubeが今、アツい

それでは、具体的にどんなSNSを活用するのがあなたに合っているのか、判定していきましょう。

まずは世界最大の動画共有サイト「YouTube」です。YouTubeで稼ぐといえば、HIKAKINに代表されるようなエンタメ系のユーチューバーが中心でした。しかし、2019年ごろから徐々にビジネス系のユーチューバーも多く登場するようになり、YouTubeの再生回数に応じた広告収入で稼ぐのではなく、それぞれの商品やサービスそのものを売って稼ぐ構図が成り立ってきました。

私自身もYouTubeを運営していますし、私の周りのWebマーケッターたちは、こぞってYouTubeの凄さを実感しています。

では、YouTubeはどんな人に向いており、どのように活用するのがよいのか見ていきましょう。

YouTubeは「話せる人」に向いている

ここではビジネス系のYouTubeに絞った話をしていきます。ビジネス系の**YouTubeで最も大事なのは、「話し方」**です。

ビジネス系のYouTubeを見る人は、問題解決をしたいという思いから、YouTubeを視聴します。例えば、英語が話せるようになりたいから英会話系のチャンネルを見る人がいますし、営業が苦手な人はトップ

セールスマンのチャンネルを見ます。

何らかの問題解決をしたいのに、あなたの話がわかりづらかったら、すぐに次の動画に切り替えられてしまいます。YouTubeもテレビと同様、ずっとそのチャンネルを見る必要はありません。つまらなかったり、話がわかりづらかったりしたら、すぐ切り替えられてしまうのです。

少し技術的な話をすると、YouTubeには視聴維持率というものがあります。10分の動画を平均して5分まで見てもらえているのであれば、視聴維持率は50%です。投稿した動画が多くの人に拡散されるかどうかの1つの要因として、この視聴維持率があります。もちろん、30%より50%の方が、長く見てもらえている＝動画の満足度が高いわけですね。

つまり、話がつまらなければ、すぐに視聴停止されてしまうということです。ですから、**具体的な撮影テクニックや細かい技術的なことよりも、まずはあなた自身が、あなたしか知り得ないプロとしての知識やノウハウをわかりやすく話す術を身につけてください**。話し方や伝え方をわかりやすくするコツは第6章で具体的に触れています。

YouTubeのミニマムスタートは「お客様の問題解決」

YouTubeといえば、動画撮影。自分がカメラの前に出るなんて恥ずかしい。そう思われる方も多いと思います。実際に撮影して編集してアップロードして……というのも、それなりに大変です。

だからこそ、個人起業家やこれからYouTubeを始める方の最初のスモールステップとして、おすすめしたい方法があります。それは、あなたの顧客のお悩みを簡単にわかりやすく解説してあげることです。

例えば、現在私が運営しているYouTubeの「LINE公式アカウントチャンネル」。実際に見ていただければよくわかるのですが、無編集・半数くらいは顔出しなし・パソコン上の画面を映し音声で解説しているだけ、の動画です。

「LINE公式アカウントはどのように操作や配信をしたらよいかわからない」という声が、実は私のクライアントから多く届いていました。

そこで私は、クライアントからよくされる質問や操作方法を全て解説して、YouTubeにアップロードしていったのです。無編集・顔出しなしでありながら、わかりやすい説明にはこだわりました。その結果、多くのクライアントから感謝され、たまたま私のYouTubeを見てくれるクライアント以外の方も徐々に増えていきました。

ここでの**ポイントは、「集客」を第1目標にしていないこと**です。**目標はあくまでもクライアントの問題解決**であり、クライアントから感謝を集めること。私自身、感謝されるともっと頑張りたくなる性質もあり、始めてから3か月で100本の動画を投稿することができました。

その結果、LINE公式アカウントというニッチなチャンネルながら、開始3か月目には全く知らない方から初めてお仕事の依頼があり、開始5か月目くらいからは続々と依頼が舞い込むようになったのです。

他にLINE公式アカウント専門でやっているチャンネルがないこと、プロしか知り得ないような“濃い情報”を出していることで、必然的に問い合わせが増えました。結果、5か月目からはYouTube経由の売り上げが単月で200万円以上になりました。

これは現在のLINE公式アカウントのサポートのお仕事だけではなく、独立当初の英会話スクール時代も同じでした。クライアントが「英語に関する資格試験の点数を上げたい」と思っているならば、その問題解決の動画をたくさん投稿したのです。クライアントに感謝され、それが結果的に集客につながる。まさに一石二鳥と言えるでしょう。

他にも、ブログの中に動画を埋め込む、LINE公式アカウントで配信する、など1つの動画には3つも4つも活用方法があります。キーワードはワンリソース・マルチユース。**1つの動画を複数の媒体で効率よく使っていけるようになると、最小の労力で最大の効果を上げることができるようになる**でしょう。

売れっ子ユーチューバーを“TTPする”

YouTubeで売り上げを立てていくためには、様々な要素にポイントがあります。基本でいうと、例えば次の①～⑥の要素です。

① **サムネイルの構成や色使い**
② **動画のタイトル**
③ **動画時間の長さ**
④ **動画の構成（何をいつ話しているか）**
⑤ **概要欄に何を書いているか**
⑥ **動画の投稿曜日や時間帯**

私の場合、何人かの売れているユーチューバーを参考にしながら、次ページの図1-3のようにそれぞれ決めています。

もちろん、この他にもポイントはいろいろあるでしょう。ここでは詳細には解説しませんが、大切なのは、**売れているユーチューバーのこうした部分を“TTPする”ことです。TTPとは「徹底的にパクる」の頭文字です**。

①サムネイルの構成や色使い	LINE公式アカウントであることがわかる「緑」を基調にしたカラー。サムネイルには顔を出す。文字数を少なくし、どのような動画か端的にわかるようにする。
②動画のタイトル	検索を意識し、キーワードを入れ込む。「**LINE公式アカウント**の**リッチメニュー**が10分で**作成**できる方法」など。サムネイルに書いてあることと被らないようにする。
③動画時間の長さ	10分以上の動画で、最後まで見てもらえるように、視聴維持率を保つことを意識する。
④動画の構成（何をいつ話しているか）	最初に動画内で話すこと、動画を見たらわかることを明確にする。最後まで見てもらえるように、最後に「特典パート」をつけることもある。
⑤概要欄に何を書いているか	その動画の概要、チャンネル登録のURL、LINE公式アカウント登録のURL、関連動画とそのURL、私自身の自己紹介
⑥動画の投稿曜日や時間帯	自信のある動画については、金曜日・土曜日の夜に投稿。他は色々な時間帯を試し、最も初動が高い曜日や時間帯に寄せていく。

図1-3　筆者が「同ジャンルで売れているユーチューバー」を参考に決めていること。

もちろん丸パクリはNGですが、まずはTTPしましょう。下手に自分でアレンジすると、結果的にそれが売れない理由になります。

売れているユーチューバーにはそれなりの理由があり、まずはこうした売れている人（ベンチマークになる人）をあなたのビジネス分野でも見つけるとよいでしょう。これはYouTubeだけでなく、全てのSNS活用で言える、基本中の基本です。

YouTubeからLINE公式アカウントへの「導線」

最後に、YouTubeからLINE公式アカウントへの導線について解説します。

YouTubeは動画であなた自身のキャラや考え方を伝えることができます。これは、文字情報だけよりも、圧倒的に伝わる情報量が多いということです。

その意味で、**概要欄にLINE公式アカウントの友だち登録用のURLを貼ったり、動画の中で登録を促したりすると、他のSNSよりも高い登録率をたたき出すことが可能**です。

どのくらいの登録率かは業種や動画の出し方によって違うので一概に言えませんが、私の場合、100名がブログを見てくれたときのLINE公式アカウント登録率を1%とするならば、YouTubeはその倍、いや3倍ほどの肌感覚はあります。

ここでお伝えしたいのは、動画でわかりやすく問題を解決してあげると、結果的にLINE公式アカウントに登録してくれたり、あなたの商品やサービスが売れたりするということです。動画といえども、ハードルをそこまで高くせず、「まずはクライアントの問題解決になればいい」というくらいの気持ちで気軽に始めてみましょう。

1-4

あなたのためのSNS活用診断②
Instagramは「価値観」「ライフスタイル」を推す

「フォローしやすい／されやすい」を最大限に活かす

続いてのSNS活用診断はInstagramです。無料で写真や動画の共有ができるInstagramは、SNS最大手のフェイスブックが提供するSNSです。

このInstagramと次節で取り上げるTwitterは、フォローしやすいことが最大の特徴です。知らない人でも、興味をもったアカウントに対しては、気軽にフォローできます。逆に、あなた自身が他人に興味を持ってもらえるようなコンテンツを出していくと、知らない人からもフォローしてもらえることになります。では、Instagramはどのような個人起業家・フリーランスに向いているのでしょうか。

「ライフスタイル」や「価値観」の共有に向いている

Instagramは今でこそ老若男女を問わず多くの人が使うSNSとなりました。しかし、元々は10代・20代の女性がメインとなったSNSであることから、投稿されるコンテンツにはやはり**「おしゃれ」「写真映えする」「かわいい・きれい」といった傾向が強い**と思います。

もちろん、YouTubeのようにあなた自身の知識やノウハウを写真コンテンツとして出していくのもありでしょう。しかし、各SNSには独自のSNS文化のようなものがあることを考えると、Instagramは正直、知識やノウハウを伝えるにはあまり向かないかもしれません。同じ労力をかけるならYouTubeの方がベターな選択であるように思います。私のようなアラサーの男性が、LINE公式アカウントの知識をInstagramで出していっても、なかなか厳しい現実があります（笑）。

では、Instagramの場合、どのようなコンテンツを出していったらいいのでしょうか。私自身はそれぞれのSNSで出していくコンテンツを明確に区分しています。Instagramの場合は、自分自身の「ライフスタイル」や「価値観」を素敵な景色などの写真とともに記しています。

あなたの「価値観」を写真で出すには

例えば図1-4は私がつい先日、急に思い立って沖縄の離島に行ったときの投稿です。

図1-4 筆者のInstagram投稿。自分のライフスタイルや価値観が伝わるよう心がけています。

私が大事にする価値観の１つに、「良質な仕事をするには、良質な遊びをする」というものがあります。よくあるSNS上のキラキラ系投稿ではありませんが（笑）、確固とした自分の信念とともに、こうした素敵な景色などの写真を投稿しています。

付随して、私の場合、妻の写真を撮って投稿することも多いです。仕事よりも何よりも、妻とともに過ごす時間を大切にしている、という価値観を表現しています。

普段の何気ない風景写真の投稿もします。もちろん仕事に関する投稿もします。8割が自分のライフスタイル関連で、残りの2割が仕事関係というイメージです。

どちらにしても、**エッジの効いていないつまらない投稿は、SNS上ではスルーされてしまうだけ**です。Instagramではエッジの効いたあなたの価値観に共感してもらえるようなコンテンツを出していけばOKです。

ペルソナになりそうな人をフォローする

あなたの価値観を表すコンテンツが整ってきたら、こちらから興味のある人をフォローしていくとよいでしょう。月並みですが、私は旅行が大好きです。妻と一緒に日本全国に出かけることが好きなので、自分と同じように、夫婦で旅行をしている人をフォローし、コメントしていきます。

または**あなたの仕事のペルソナ（顧客の代表的な人物モデル）になりそうな人をフォローしていくのもアリ**です。

例えば、私の仕事である、LINE公式アカウントの運用をサポートする業務は、飲食店や美容院と相性がいいです。こういった店舗系のビジネスをされている方をフォローしたり、コメントしたりします。もちろんただ機械的なフォローやコメントをするだけではなく、相手に興味をもって絡んでいくことが大切です。

私たちはインスタグラマーになることが目標ではありません。第4章「フォロワー・友だち集めを徹底攻略」で解説する通り、本質的にはフォロワー数よりもフォロワーとの関係の密度が大切です。

密度を高めていく「絡み方」に関する詳細は第4章で深掘りしていきますが、**SNSの本質である「つながり」と「共感」**を意識してInstagramを運用するようにしましょう。

インスタライブでLINE公式アカウント登録を誘導

Instagramの投稿やストーリーズ（公開後24時間で削除される写真や動画の投稿機能）だけでは、商品やサービスを売り上げたり、LINE公式アカウントに友だち登録してもらうのはなかなか難しいかもしれません。

しかし、「インスタライブ」を活用することで、これを実現させることができます。

インスタライブとは、動画をリアルタイム配信するInstagramの機能の1つです。普段の投稿やストーリーズであなた自身に興味をもってもらえれば、インスタライブには多くのフォロワーさんが見にきてくれます。

あなたも好きなアーティストがライブをやっていたら、見に行きたくなりますよね。そんな感覚です。

インスタライブは誰でも気軽に見にきてくれるので、あなたのフォロワーさんがファンになっていたら、視聴してくれます。

インスタライブでは、あなたの価値観やライフスタイルについてのコンテンツはもちろん、仕事の話でも何でもアリです。

ただし、おさえるべきポイントが1つあります。それは、インスタライブで話したキーワードを、LINE公式アカウントに友だち登録をした上で送信してもらう仕掛けを作ることです。

例えば、**インスタライブ視聴者しか知り得ないキーワードを LINE公式アカウントから送ってもらうことで、視聴者限定のプレゼントを送る**ようにします。

こうすることで、LINE公式アカウントの登録者が増え、そこからあなたの商品やサービスが売れることがあります。

私のクライアントを例に挙げると、インスタライブを用いると、実際にフォロワーの 10 ～ 20% くらいの方は、LINE公式アカウントにも登録してくれます。何度かインスタライブをする必要はありますが、つまり 10,000 人のフォロワーがいたら、1,000 ～ 2,000 人くらいは登録者になるというイメージです。

インスタライブをはじめとした、Instagram から LINE公式アカウントに友だちを集める方法は、第 4 章で具体的に解説します。実際にゼロスタートから Instagram 経由で累計 8,000 名以上も LINE公式アカウントの友だちを獲得した方の実例をもとに見ていきますので、楽しみにしていてください。

1-5

あなたのためのSNS活用診断③ Twitterならビジネスの協力者がタダで見つかる!?

Twitterのジャンル・特性をキャッチすることが大事

それでは同様に、Twitter も見ていきましょう。匿名性の高い傾向がある Twitter も、フォロー・フォロワー文化のある SNS です。ただし、その特性上、一般的なユーザーの属性が先ほど見た Instagram とは異なります。

例えば、Instagram は女性ウケするような「かわいい・きれい」系の投稿が中心なのに対し、Twitter はそうではありません。

私の属する Web 業界で言えば、ライターやデザイナー、動画編集など若手のフリーランスのユーザーが多いイメージです。この特性を活かしてビジネスをすることもできます。

端的に言うと、**Twitter で自分のサービスを売ろうとしても（業種によっては）難しいですが、Twitter で仕事を探している人は非常に多い**のです。以下は私の実体験です。

Twitter を始めたばかりの頃、YouTube と同じように、「LINE公式アカウントでこんなことができる！」と知識やノウハウを記したツイートを行っていました。ところが、フォロワー数も伸びませんし、Twitter から売り上げが立つこともありませんでした。

ある日、私が何気なく Twitter で「LINE公式アカウントのリッチメニューをデザインできる方、DM（ダイレクトメッセージ）ください！」とつぶやいたところ、その１回のツイートだけで２名の方から応募がありました。

「これはもしかしたらWeb系の求人募集にいけるのでは？」と思った私は、さらに動画編集ができる人やWebライティングができる人の募集ツイートをしてみました。

　結果的には、それぞれ応募のDMをいただくことができ、YouTubeのサムネイルを作成できる人に関しては、1回のツイートで10名近くから応募いただきました。

　このとき、私のフォロワーが多かったかというと、そうではなく、300名程度です。ほとんど全ての人がフォロワー以外からの応募で、ユーザーはこうした求人案件を常にTwitterで探しているということがわかりました。

Twitterの「固定ツイート」で募集したら…

　上記のように、Twitterで求人募集した結果、私は1円もかけることなく、私の事業を回していくのに必要な外部スタッフを効率よく集めることができました。

　お客様に提供するLINE公式アカウントの画像制作、YouTubeのサムネイル・動画編集、私の会社のブログのライティング、全てTwitterから応募があった人たちが手掛けています。

　これらの業務を委託することで、私は本業でさらなる売り上げを立てることができました。求人募集は売り上げの規模や組織が大きくなってきた次の段階で行うことが多いので、まずはあなたの商品やサービスを販売していくことが先決ですが、あえて本節では視点を変えて、SNSを利用した求人方法について記述しています。


　Twitterには固定ツイートという、アカウントが表示されたときに、

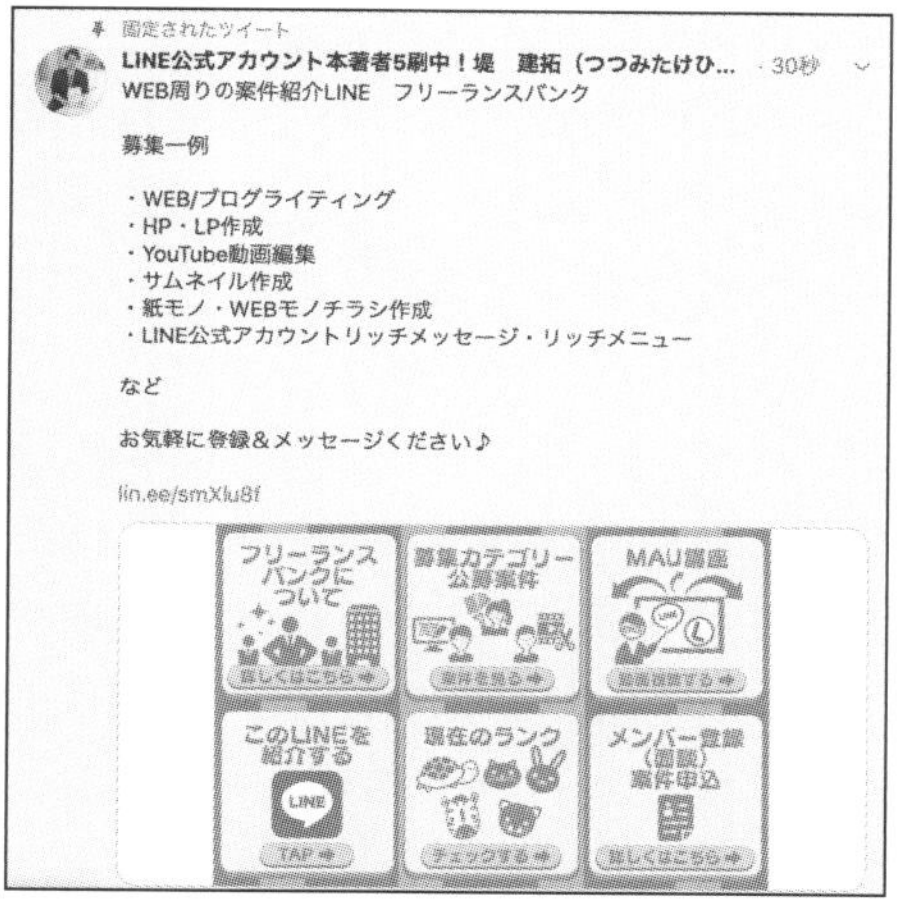

図1-5　筆者のTwitterアカウントの固定ツイート。

特定のツイートを１番上に固定できる機能があります。私は現在、固定ツイートを求人募集にしており、見た方が応募できるような導線を作っています（図1-5）。

Twitterは売り手市場＝販売協力者も見つかる？

ここまで読んでくださったあなたは、もしかしたら、「私はまだ求人をする段階ではなく、自分のサービスをとにかく販売しないといけないから……」と思っているかもしれません。

しかし、**「思考を深くする」こと**を意識すると、見え方も変わってくるのではないでしょうか。

例えば、Twitter上で仕事を探しているユーザーが多いというのは、私の経験でもここまでわかりました。それなら、「Twitterで仕事を探している人が多いのなら、自分のサービスを営業代行してくれる方はいないか？」と考えることもできそうです。

あなた自身が販売する商品やサービスが優れたものであることは大前提です。それらを販売してくれる人を、私の固定ツイートのように募集するというアイデアもアリだと思います。

サービスの金額にもよりますが、通常、サービスを販売するのに広告費は必要不可欠です。その広告費用と考え、あなたの商品・サービスを代行販売してくれる人に売り上げの10～20%をマージンとしてお渡しする旨のツイートを投稿する、という考え方もできます。その際は当然、あなたのサービスに対する想い、なぜ自分がその事業をしているのか、そういった部分をツイートすることも重要です。

私がここで伝えたいのは、世間一般でまかり通っているような「SNSはこう使ったらサービスが売れる！」という短絡的なものではなく、**あらゆる側面からSNSの可能性を考えれば、必ずあなたの事業の発展につなげることができる**ということです。ぜひ様々な角度からSNSの可能性を考えてみてください。

1-6

あなたのためのSNS活用診断④

Facebookは「リアルのつながり」が強みになる

リアルでつながっているからこそ売り上げまでが早い

それでは次にFacebook編です。Facebookは、使っている年齢層はやや高めで30代以上が中心ですが、ビジネスをしている人が多い印象です。Facebookの場合、他のSNSと大きく異なる点は、実名登録であり、リアルでつながった「友達」が多いという点です。

私のFacebookの「友達」は現在2,000名弱くらいで、このうちほぼ全ての人が直接、お会いしたことのある人です。

当然、全く知らない相手ではないため、あなたに対する親近感や信頼性という意味では、Facebookでつながっているほうが商品やサービスを販売しやすくはあるでしょう。

事実、私が最初に英会話講師として独立したときも、Facebookで告知をした結果、3か月で10名くらいが英会話レッスンを受講してくれることになりました。

独立したばかりで、Instagramでフォロワーを集めて、そこから信頼関係をゼロから構築して……商品やサービスを3か月で販売、というのは、不可能ではないですが、少々大変です。

しかし、Facebookではある程度、関係性ができていることから、商品やサービスの購入までのスピードは早いでしょう。

ただ、気をつけたいこともあります。

他のSNSの使い方でも同様ですが、大切なのは、**Facebook上で普段からコミュニケーションをとっていること**です。相手の投稿に「いいね」する、コメントする……そうすることで、しばらくリアルで会っていなくてもリアルで会っている気になります。コメントを返してもらえたら、その方との親密さが増し、“濃い関係”になれます。

本書で繰り返し伝えることになりますが、SNS上では友だち数やフォロワー数ではなく、その関係が「濃い」かどうかが、かなり大切になってきます。これをあえて公式にするならば、

売り上げ＝フォロワー数×フォロワーとの関係性（濃さ）

となります。私たちはどうしても友だち数やフォロワー数に目がいきがちですが、フォロワーとの関係性（濃さ）の方がむしろ大切です。SNS初心者には、数を集めるよりもフォロワーとの関係性を濃くするほうが簡単だからです。

この辺りの話は第3章、第4章でも詳しく解説していきます。

Facebookのコミュニティで440万円の資金調達

ここでは、また少し視点を変えたお話をしたいと思います。

Facebookを活用して440万円以上の資金を調達したことのある経営者、株式会社Meguriruの黒田めぐるさんの例です。

2020年2月ごろから、新型コロナウイルスの脅威が日本のみならず、世界を襲いました。これをきっかけに学校が休校になり、自宅で子ども

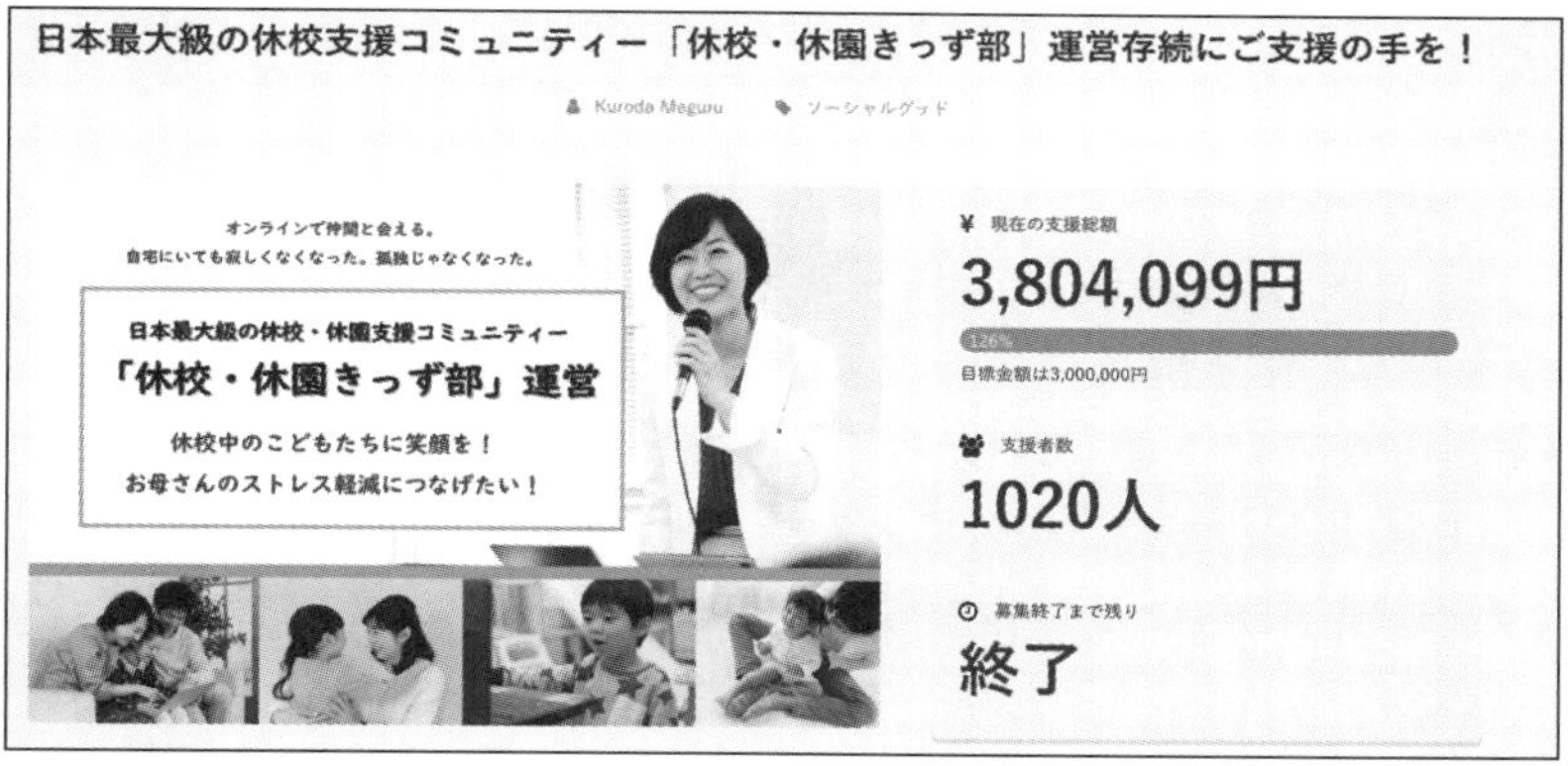

図1-6　黒田さんは「休校・休園きっず部」運営のために2つのクラウドファンディングで資金調達を行った（画像はそのうちの1つで、クラウドファンディングサービス「CAMPFIRE（キャンプファイヤー）」の募集画面）。

とどのように過ごすかが問題にもなりました。

そこで黒田さんはいち早く、自宅にいながらにして色々な学びができる、「休校・休園きっず部（現「おうちきっず部。」）」というコミュニティをFacebookで立ち上げました。専用のFacebookグループに入ってもらい、そこからLINE公式アカウントに登録すると、お子さんのためのZoom（オンライン会議システム）を使った学習講座に参加できるというものです。

講座は月に100本以上。講座提供者も全てFacebook上で集め、全てが無料提供というから驚きです。このコミュニティには開始2か月で3,000名近くの参加者が集まりました。

このコミュニティの活動の中でクラウドファンディングも行った黒田さんでしたが、その社会貢献性とアイデアに共感を覚えた多くの人が、大量の支援を行ってくれたのです。結果的には、約2か月半の間、合計２つのプロジェクトで440万円以上の資金調達をすることができました。

起業に際してのSNS活用法を考える上で、こうしたコミュニティを作ったり、資金調達できたりした事例は非常に参考になります。Facebookだけでは、これだけの支援を集めることは難しかったでしょう。**FacebookからLINE公式アカウントやメルマガに誘導したことで、これだけの支援者と支援金を集めることができた**、というのが注目すべき点です。

Facebookでは、グループ全員にダイレクトな通知をするのが難しい一方、LINE公式アカウントでは登録者１人ずつに、ダイレクトに「ご支援をお願いします！」とプッシュ通知を行うことができます。

ここでもFacebookからLINE公式アカウントへの導線設計の大切さと、LINE公式アカウントの有用性が見てとれます。

1-7

あなたのためのSNS活用診断⑤

ブログは「ファン獲得」のために使う

数あるブログは何から手をつければよいのか

第１章の最後は、ブログ編です。ブログはSNSではなくWebという括りになります。ひと口にブログといっても、実は様々な種類があります。無料でできるブログの代表例として、アメブロ（アメーバブログ。サイバーエージェントが提供するサービス）があります。一方、費用をかけて作成するブログとしてはWordPressが一般的です。

アメブロは無料で使える一方、様々な制約があります。WordPressはサーバー代など年間１万円ほどの管理費がかかりますが、デザインや機能という面では、より自由にカスタマイズできる点がメリットです。

ブログについて細かいことまで言及するのは避けますが、「WordPressって何？」「アメブロとWordPressどちらがいいの？」と思っている初心者に関しては、ブログは無料で使えるアメブロでよいと思います。

WordPressブログからの集客は最低でも半年以上かかる

ここで私自身の話をさせてください。

私はSNSやLINE公式アカウントを使ったマーケティングに関して、独立当初から（英会話スクール運営とは全く別で）ブログを書いていました。

このとき、「どうせブログを書くのなら、WordPressで自由にカスタマイズできるものがいい！」と意気込んで始めました。ブログは当然、検索されて初めて見にきてくれる人がいるわけですが、ブログを書いたからといって、すぐにWeb検索に引っかかるわけではありません。

では、どのくらい記事を書けば検索上位にあがってくるようになるのか。

一般的に言われるSEO（Search Engine Optimization ＝検索エンジン最適化）というものですね。これが、実は「100記事は必要」と言われています。しかも1記事あたり2,000～3,000字の文章量が必要です。なぜなら、文章量の少ない記事は自動的に内容が薄いと判断され、検索上位にあがるのは難しいからです。

もちろんジャンルにもよりますが、1記事あたり最低でも2,000字のブログ記事を、100日間ずっと書き続ける根気と体力が必要なのです。

結論から言うと、私は独立当初の起業家が、ブログで集客を狙うのはあまりおすすめしません。私自身は根性でブログを書き続けましたが、多くの場合は検索上位になかなかあがってこず、心身ともに疲弊し、途中でブログを止めてしまうでしょう。

ところが一方で、**「ブログを書くと資産になるから、いったん検索されるようになると、半永久的に集客できるようになる」**という意見もあります。事実はどうなのでしょうか？

この意見、私は正しいと思います。現に私も、260記事以上を現在までに執筆しており、ブログを経由したLINE公式アカウントの新規登録が、月間で約180件あります。そこからの売り上げもかなりあるのが事実です。まさにブログ記事が資産になっている状態です。

しかし、私の経験上、ブログは**あまりにも労力がかかりすぎることが最大の難点**です。ブログを資産としてみるのであれば、**同じことをYouTubeでやったほうが初心者には合っています**。YouTubeも動画を多く出せば出すほど、YouTubeからの評価が上がり、あなたの動画が関連動画に出たり、検索されやすくなったりするからです。

すごく大雑把に言えば、**ブログを書く10分の1以下の労力で、YouTubeからの集客が見込める**と思います。今からゼロベースで始めるのならば、上記の事実を加味して、あなたとあなたのビジネスに適切なSNSやWebサービスを選択してください。

ブログはあなたのキャラや価値観を伝えるもの

では、ブログは全くやらなくていいのでしょうか。答えは「否」です。起業当初であれば、無料のアメブロで十分です。ただ、検索に引っかかることを狙うのではなく、あなたのファンを作るためのものとして活用してください。

Facebook や Twitter は長文を投稿するには不向きです。そう考えると、あなた自身のキャラクター・考え方はもちろん、商品やサービスの一覧なども書いておくとよいでしょう。またはLINE公式アカウントであなたのサービスを配信した際の、詳細を伝えるためのリンク先としても活用できます。

要は、SNSやLINE公式アカウントだけでは完結できない部分を、ブログで伝えてください。細かなSEO知識などは全く必要ありません。SEOを意識してしまうことは、初心者にとってはかえって悪でしかありません。

あなた自身のキャラクターや価値観を、あなた自身の言葉で表現してください。ここに起業初心者がブログを活用することの意味があります。

あなたに合ったSNSは見つかりましたか?

さて、ここまでそれぞれのSNSの特徴を簡単に見てきました。

「YouTubeをやってみよう!」
「Instagramも挑戦してみたい!」
「Facebookのリアル友達にまずは宣伝してみよう!」

など様々な思いがあることでしょう。冒頭で見たように、これら**あなたに合ったSNSからLINE公式アカウントに誘導するような導線を作ると、ビジネスが非常にスムーズにいきます**。

第1章では、まだLINE公式アカウントの強みについて説明していないので、なぜLINE公式アカウントがよいのか、いまいちピンときていない方も多いでしょう。そこで次の第2章では、LINE公式アカウントというツールに焦点を当てて、なぜLINE公式アカウントを使うべきなのか、深掘りしていきたいと思います。

あなたのこれまでのSNS集客のイメージ・LINE公式アカウントに対する見方を根底から変えていきたいと思っています。

それでは早速、見ていきましょう!

第2章

LINE公式アカウントは スモールビジネスの 「最強の味方」

2-1

無料で使えるLINE公式アカウントの威力

今やSNSで集客・告知・宣伝が無料ででき、全くコストをかけずにスモールビジネスとして起業することができるようになりました。

私自身が行っている、このLINE公式アカウントの配信代行やコンサルティングも、固定費がほとんどかからないスモールビジネスです。起業当初からこうした無料で使えるSNSをフル活用し、集客を図ってきました。その中で最も効果を発揮したのが、私の場合、LINE公式アカウントでした。

これは、私がLINE公式アカウントの専門家だから、ひいき目に見てそう言っているのでは決してありません。例えば、Instagramも、もちろん集客に活用できます。しかし、私たちはなにもインフルエンサーになりたいわけではなく、自分の商品やサービスをお客様に購入していただくことが最終目的です。

このことを考えると、LINE公式アカウントが最もその目的を達成するために優れていると言えるのです。その大きな理由は、LINE公式アカウントがプッシュ型のツールであることです。

プッシュ型の反対はプル型です。ここで少しおさらいをしましょう。プッシュ型のツールは、こちらからダイレクトに情報を発信でき、その通知が登録者に届きます。

その代表格はメルマガとLINE公式アカウントです。最近ではLINE公式アカウントがメルマガと同じくらい一般にも認知されるようになってきました。

プル型
Facebook
Instagram
YouTube
ブログ
TikTok
ホームページ
プッシュ型
メルマガ
LINE公式アカウント

図2-1 プル型とプッシュ型の違いをまずは理解しましょう。

一方で、プル型は基本的にダイレクトな通知はなく、ブログやFacebook投稿のように、向こうから見にきてもらうもののことです（図2-1）。

集客や売り上げUPに効果的なのはプッシュ型

例えば、Facebook、LINE公式アカウントの友だちがそれぞれ1,000人ずついるとします。それぞれの投稿・配信であなたが手掛ける商品の販売案内をしました。このとき、売れる可能性が高いのはどちらでしょうか。

LINE公式アカウントでは、登録している1,000人全員にダイレクトに配信されます。対してFacebookでは、その投稿をしたときに、たまたま目に入るケースであなたの投稿を見る人もいるでしょうが、そもそも1,000人全員にあなたの投稿が表示されるわけではありません。

このことからも、同じ1,000人という友だち数の場合、LINE公式アカウントの方がFacebookより集客や売り上げUPには効果的だろうと想像できます。

私が2019年に初めて著書を出したときも、LINE公式アカウントで告知しました。このとき、約1,000名に配信したところ、10%にあたる100冊以上がAmazonを通じて購入されました。同じような投稿をFacebookでしたとしても、100冊以上購入してもらえるかというと、少し難しいような気がします。

LINE公式アカウントは、この他にも様々なメリットをもっています。使い方によっては、大きな可能性を秘めたツールになり得ます。次節から、LINE公式アカウントの具体的な運用メリットを見ていきますので、今日からすぐに使っていけるように準備しましょう。

2-2

LINE公式アカウント「4つのメリット」

LINE公式アカウントは、「アカウント開設→友だちを集める→配信する」のシンプルな3つのステップで構成されています。誰でも簡単にすぐ始めることができるのが最大のメリットです。

しかし、もう少し深掘りをしていくと、他にも実に様々なメリットがあることに気づきます。

ここからは、これまで100社以上のLINE公式アカウントの配信代行・コンサルティングを手掛ける中で私が見てきた、LINE公式アカウントのメリットを4つに分類してご紹介したいと思います。

LINE公式アカウントのメリット① 60%を超える圧倒的な開封率

メリットの1つ目は、圧倒的な開封率です。LINEのホームページでも正式に公表されている数字ですが、私自身が多くの配信を見てきた経験からも、だいたい60%が平均値と言えます。

この数字が高いか低いかは、比較することでよくわかると思います。同じプッシュ型のツールとして、メルマガがあることはすでに学びました。それではメルマガの開封率はどのくらいなのでしょうか。50%？30%？　いや、15%？　正解は…… 10%あれば御の字だ、というレベルなのです。

もちろん、登録者数や人気の有無により、この数字は変動します。しかし、10%あればよい数字だと言われると少しびっくりです。

開封率で比べると、LINE公式アカウントとメルマガでは実に6倍の差があるのです。仮に友だちが100人いたとすると、LINE公式アカウントでは60人が開封します。それに対して、メルマガではたったの10人ということになります。

そもそもメールは見ないし、気づかないという声も、近年、よく聞くようになりました。ではメルマガは全く活用できないか、というとそれは否です。

私の周りにもメルマガで実績をあげられている方はたくさんいます。しかし、今からメルマガを始めようとしている方がいるなら、ちょっと考えてみてほしいのです。

逆算すると、LINE公式アカウントで60人に開封してもらおうと思ったら、友だちを100人集める必要があります。

ではメルマガであれば？　同じ60人に開封してもらおうと思ったら、なんと600人も集めなければなりません。このように表面の数字だけではなく、一歩深いところまで考えると、開封率の良し悪しは、友だち集めに影響することがわかります。

友だち・登録者を集めるのは、ただでさえ難易度が高い作業です。同じ労力をかけるなら、開封率の高いLINE公式アカウントからコストをかけずに始めた方が得策だと言えるでしょう。

「開封率60%」――この数字の本当の意味

「そんなに開封率が高いなら、今すぐLINE公式アカウントを始めよう！」――そんな勢いも大事なのですが、もう少し思考を深くしていただくと、さらにわかってくることがあります。

例えば、開封率の定義ってなんだろう？　と今一度、考えてほしいの

図2-2　LINE公式アカウントのプッシュ通知です。

です。これを明確に説明できる方はいるでしょうか。

LINE公式アカウントは、配信されると、図2-2のようにプッシュ通知と呼ばれる通知がきます。

この通知を開いて、図2-3のトークルームを開くこと——これを「開封」と定義しています。

つまり、ここで言えることは、開封はしても中身まで見ないこともある、ということです。

図2-3　開封とは「トークルームを開くこと」です。

図2-4 トークリストに通知が1件溜まっている状態です。

私も図 2-4 のように、右端に「①」と溜まっている未読通知を消すために開封することはよくあります。このため、「開封＝しっかり読んでいる」とは言えません。

開封率が 60% だからといって、100 人中 60 人があなたの配信を隅から隅までしっかり読んでいるわけではない、ということです。

では、しっかり読んでくれている率はどのくらいなのでしょうか。LINE公式アカウントで配信すると、その配信中に貼ったリンクがどのくらいクリックされているのか、分析することもできます。

リンクをクリックするということは、その配信内容に興味がないとクリックしませんから、これがある種、しっかり読んでくれている率と同義と言っていいのではないかと思います。

このクリック率は、どのくらいが平均値なのでしょうか。

こちらは LINE のホームページに書いてあるわけではありません。あくまでもこれまで 100 社以上の配信代行・コンサルティングを行ってきた私の経験則からですが、このクリック率は通常 3 ～ 30% とかなり幅があります。

開封率は 60% を基準にどのアカウントでも大きく変わるわけではありませんが、クリック率は配信の内容が面白いか否か、興味を持てるものか否かでかなり変わってくるのです。

100人に配信したら、3人しか見てくれないのか、それとも30人が見てくれるのか、この差は大きなものになります。1,000人、10,000人と友だち数が増えていけばなおさらです。

ここでお伝えしたいのは、LINE公式アカウントの開封率やクリック率がそうであるように、表面的な数字に惑わされず、**思考を深くしてほしい**ということです。思考を深くすることで、SNSをより深く使うことができます。それが結果的に大きな売り上げをもたらすことにもなります。**「思考を深くする」**を裏テーマに、本章を続けましょう。

LINE公式アカウントのメリット② 友だち登録が簡単

2つ目のメリットは、LINE公式アカウントは友だち登録がとても簡単なことです。試しに、図2-5のQRコードをお手持ちのスマホやタブレットで読み取ってみてください。

これは私の会社が運営するLINE公式アカウントです。このようにLINE公式アカウントはQRコード1つ、その後の「友だち追加」ボタン1つで友だち登録できてしまいます。

このように登録が簡単であることから、本書の読者であるあなたと私が実際につながることもできるわけです。

メルマガの場合も、同様にQRコードを読み取って、メルマガに登録してもらうことは可能です。しかし、メルマガの場合は、少なくとも自

図2-5 LINE公式アカウントはQRコード1つで登録できます。

分のメールアドレスを入力しなければなりません。メールアドレスの入力に 15 秒かかるとすると、この 15 秒と LINE公式アカウントの「友だち追加」ボタンの 1 秒とでは、かなり大きな差があります。

例えば、図 2-6 のように、私の名刺の裏には自分の LINE公式アカウントの QR コードがついています。

ケースによりますが、名刺交換をする際に、「よかったら LINE公式アカウントを登録してくれませんか？」と言うと、登録してくれることが多々あります。それもスマホを取り出して、QR コードからボタン 1 つで簡単に登録できるからです。

これがメルマガの登録だったら、その場でメールアドレスを入力しなければなりません。面倒で、やってもらうことも到底難しいでしょう。

このように登録の手軽さがメルマガと LINE公式アカウントでは違います。

そしてこれも、やはり友だち集めに大きく影響すると言えます。LINE公式アカウントは手軽に登録できるため、友だちが追加されやすいのです。そもそも友だち集めは多くの方がつまずく部分なので、この意味で、登録が簡単であることは非常に重要です。

図2-6 名刺に LINE公式アカウントの案内をつけている人も最近は増えてきました。

LINE公式アカウントのメリット③ 即効性がある

私がLINE公式アカウントをやっていて本当によかったと感じるのが、この3つ目のメリットです。

LINE公式アカウントは本当に即効性があります。即効性があるということは、今、あなたが「集客したい」「売り上げをUPさせたい」「成果をあげたい」ものに、即コミットすることができるということです。

例えば、私が直近で行ったLINE公式アカウントセミナーでの話です。通常、セミナーに集客しようと思ったら、少なくとも1か月以上前から告知をするなど、入念に準備を行う必要があります。

ところが、今回のLINE公式アカウントセミナーは、オンラインで全国からの参加者を募ったものでしたが、4日前に初めて告知したにもかかわらず、2回（2日間）の配信で合計130名の方から申し込みがあったのです。これは極端な例かもしれませんが、現に4日後に開催されるセミナーに、たった2日間で130名集客できたのですから、即効性があることは確かです。

第1章で紹介した黒田めぐるさんは、教育事業を展開する経営者です。あるとき、彼女もLINE公式アカウントでセミナー（講演会）の集客を実施しました。黒田さんは、幼児や小学生の子どもを持つ30代の女性が多く登録するLINE公式アカウントを管理されています。

登録者は当時、約2,000名。このLINE公式アカウントで、とある有名な校長先生の講演会の告知をしたところ、告知後9分で200名以上の応募が殺到し、最終的に500名の集客を実現することができました（オンライン会議システムZoomで実施のため、500名が限界だったとのこと。本当はもっと集まったかもしれません)。

これもまた極端な事例であり、黒田さんの日頃からの取り組みも大きいでしょう。しかし、LINE公式アカウントが持つ即効性を利用することで、実際にこのように集客することも可能なのです。

もっと短いスパンでの即効性もあります。LINE公式アカウントはもともと飲食店や美容院などの店舗向けに開発されたツールであり、今でもこうした店舗型の事業とは相性がいいと言えます。

飲食店を例に見てみます。飲食店などの店舗ビジネスでは、朝から雨が降っていると、1日の来店客数および売り上げが落ちてしまうということがあります。

雨が降った日は売り上げが30%落ちてしまい、空席も目立つ……のであれば、「雨の日クーポン」をLINE公式アカウントから配信することで集客できます。

仮に、朝から1日、雨の予報なのであれば、午前10時くらいに「本日限定！　雨の日クーポン　ディナー20%OFF」と配信します。午前10時に配信すれば、サラリーマンであっても、お昼休憩中にLINEを見るでしょう。休憩中にクーポンが届いているのを見たら、仕事が終わってから行こうかな、となるかもしれません。

コロナ禍にも強かったLINE公式アカウント

実際に私のクライアントでも、雨の日には毎回クーポンを配信するお店があります。常連客には定番になっているようで、むしろ雨の日のほうが売り上げが多いという逆転現象まで起きているくらいです(笑)。

さらに飲食業と言えば、新型コロナウイルスによるパンデミックの影響です。営業自粛が長期化した末に、閉店を余儀なくされた飲食店も多くあることでしょう。

そのような緊急時でも、LINE公式アカウントは強い味方になります。政府の緊急事態宣言による営業自粛が求められていた時期、多くの飲食店はテイクアウトやデリバリーサービスに切り替えました。

これをLINE公式アカウントの配信によって、いち早く告知できたところがあります。聞くところによると、店舗での売り上げダウンは否めませんでしたが、テイクアウトやデリバリーが好調だったため、結果的に売り上げは平常時から10%のダウンにとどまったそうです。

ここではセミナーや飲食店の集客にフォーカスしましたが、これらに限らず、あなたが短期間のうちに成果をあげたいことがあれば、LINE公式アカウントの配信は間違いなく大きな助けになります。

短期間であればあるほど、LINE公式アカウントのありがたみが感じられるでしょう。

LINE公式アカウントのメリット④ 返信がたくさんくる

私がメリットだと考えるLINE公式アカウントの特徴の最後は、メッセージでの返信がたくさんくることです。

LINE公式アカウントは、一斉配信もさることながら、普通のLINEと同じように、登録者と１対１の「トーク」をすることもできます。友だち登録者から見れば、普通のLINEでトークするのと同じことですから、かなり頻繁にメッセージをもらうことがあります。

では、この返信メッセージ、どのように売り上げUPに活かすことができるでしょうか。

1つあげられるのが、サービス購入に関する相談メッセージです。


例えば、あなたがダイエットのコーチだったとします。「3か月で10キロ以上痩せられる！」というマンツーマン・サポートサービスを20万円で販売する内容の配信をしたとしましょう。

配信内容が相手に刺されば、そのまま申し込みをしてくれる人もいるかもしれません。しかし大抵の人は、いきなり20万円もするサービスに申し込むのはとてもハードルが高いと感じることでしょう。


「万が一、痩せなかったらどうするの？」

「食事制限のサポートってどんな感じ？」

「料金は分割でも支払えるの？」


痩せたい気持ちはあるけれど、こんな様々な疑問が生じ、もっと聞いてみたい、相談したいと思っている方もいるはずです。そんなときに、LINE公式アカウントは威力を発揮します。

興味のある人はメッセージで相談してくるので、その質問や相談に丁寧に返信してあげるのです。丁寧に返信することで、結果的に相手の疑問が解消され、申し込みに至る、という流れです。


このことから、一斉配信をする中で、「サービスに関して気になることがあれば、お気軽にメッセージしてくださいね」とアナウンスすることが大切です。

特に高額商品を販売するようなビジネスの場合、メッセージでのやりとりは非常に効果的です。

さて、ここまで見てきたように、LINE公式アカウントには

① **開封率が高い**
② **登録が簡単**
③ **即効性がある**
④ **返信されやすい**

というメリットがあることがわかりました。もちろん、これらのメリットを理解することも大切なのですが、繰り返しお伝えしているように、より**「思考を深く」**することによって、どのように自分のアカウントに活かせるかを考えてみてください。

次節からは、これからLINE公式アカウントを開設する人のために、その手順と「アカウント開設後、ここだけはおさえたい」という（プロだからこそ知り得る）必須のポイントを共有していきたいと思います。

2-3

LINE公式アカウントは5分で開設できる

LINE公式アカウントを開設してみよう

それでは、ここからはLINE公式アカウントの開設方法について解説します（すでにアカウント開設済みの方は読み飛ばしてくださって結構です）。

Google や Yahoo! などで「line for biz」とキーワード検索すると、「LINE for Business ｜ LINE が提供する法人向けサービス」と出てきます。こちらをクリックしてください。法人向けとありますが、個人でも開設できます。

図 2-7が「LINE for Business ｜ LINEが提供する法人向けサービス」のトップ画面です（画像は 2020 年 5 月現在。時期によって変わることがあります）。画面右上に「アカウントの開設（無料）」とありますので、こちらを選択してください。

次のページでは、画面左下の〈LINE公式アカウント開設（無料）〉ボタンを選択してください（図 2-8）。

図2-7 「LINE for Business」のトップ画面です。

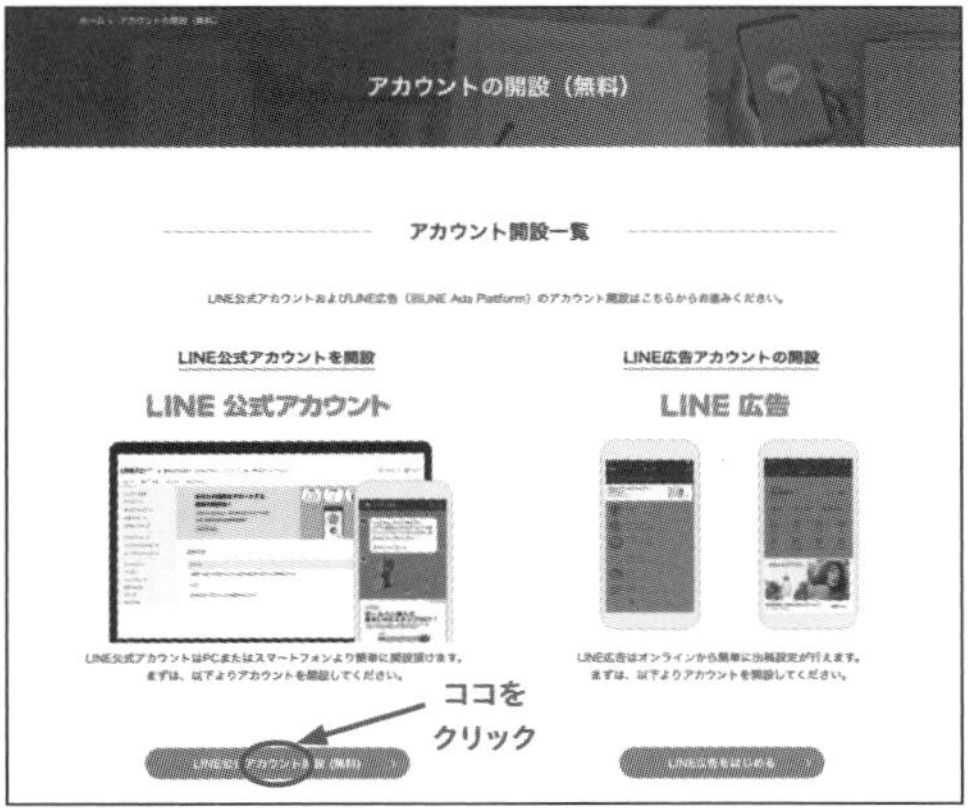

図2-8 〈LINE公式アカウント開設〉を選択してください。

さらに次のページでは、右下の〈未認証アカウントを開設する〉を選択してください（図2-9）。

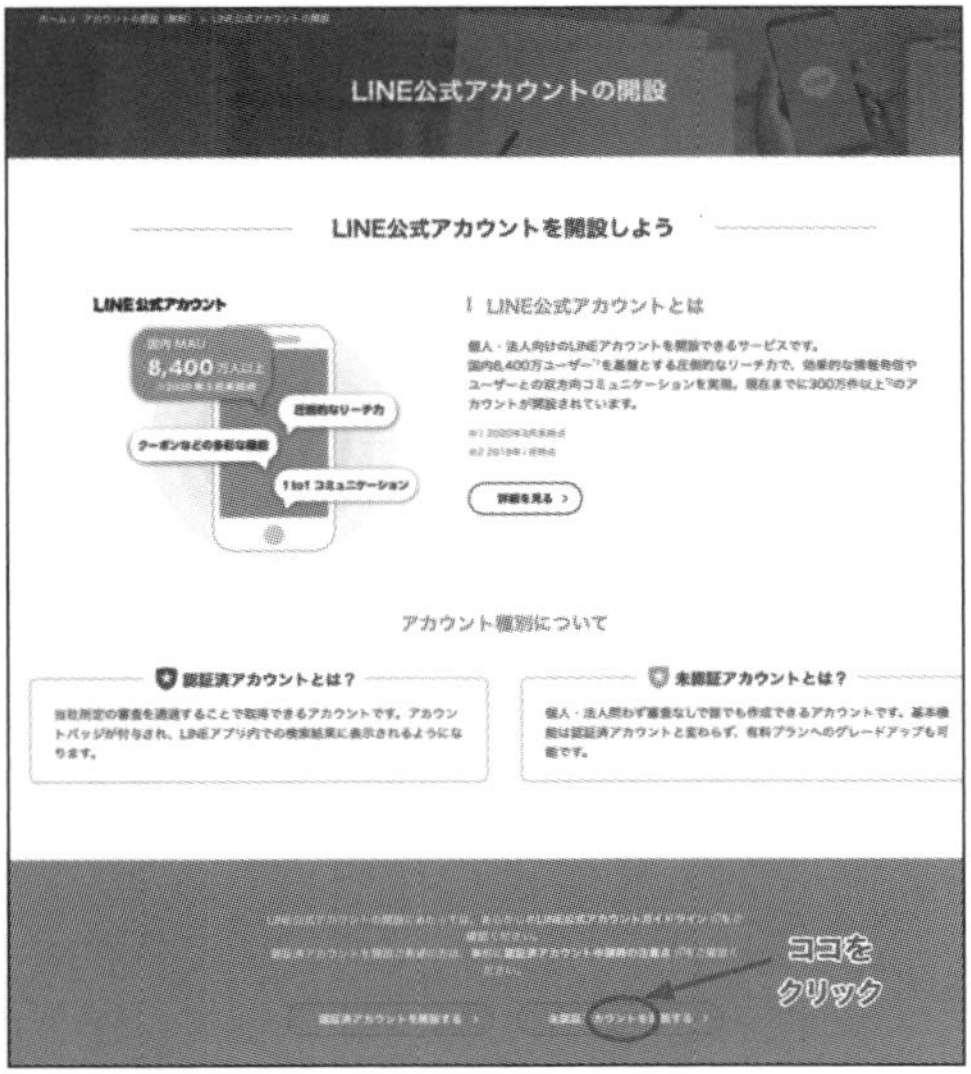

図2-9 LINE公式アカウントは誰でも無料で開設できます。

メールアドレスか（すでに持っている）LINEアカウントを登録後、LINE 公式アカウント作成画面に移ります（図 2-10）。アカウント名や必要情報を入力してください。アカウント名は後から変更することもできますので、この時点では仮のものでも大丈夫です。全て入力し終わったら、〈確認する〉ボタンをクリックしてください。

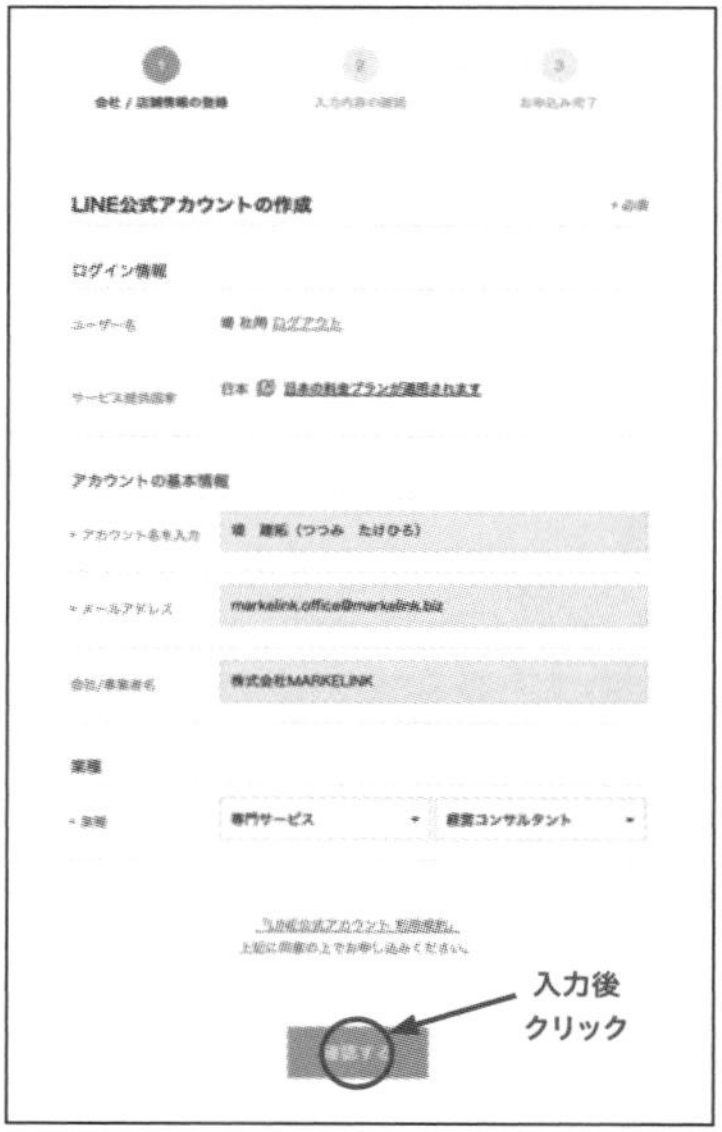

図2-10 必要な情報を入力したら、
開設完了まではあと少しです。

入力内容の確認が出てきますので、確認後〈完了する〉をクリックしましょう（図 2-11）。これでLINE公式アカウントの作成は完了です。

図 2-12 中央の〈LINE Official Account Manager へ〉をクリックして、管理画面へと進みましょう。

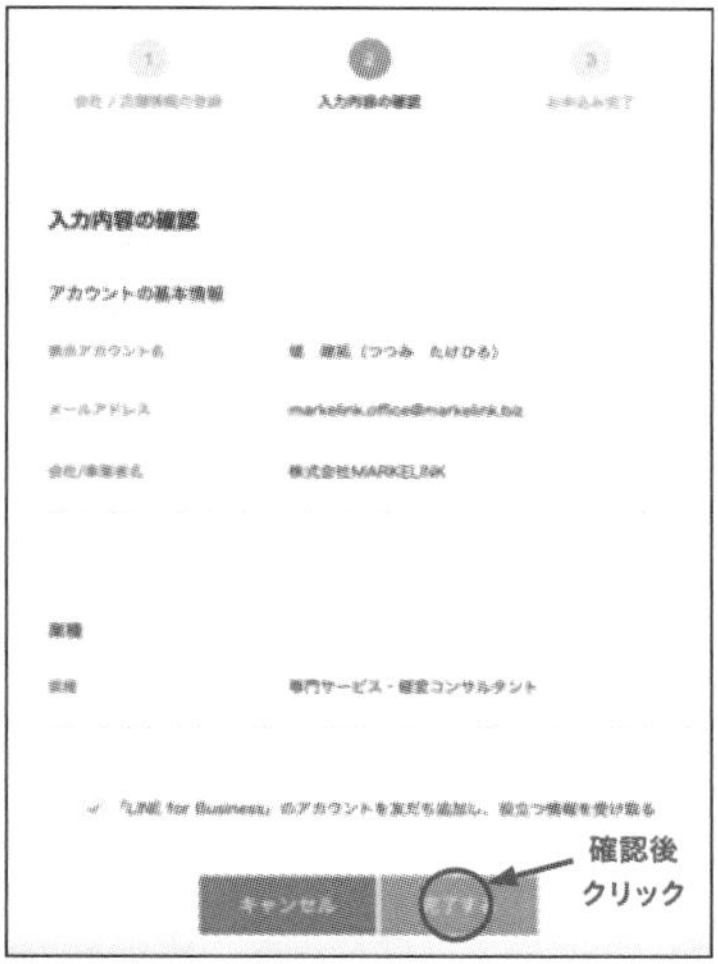

図2-11 確認画面で最終チェックします。

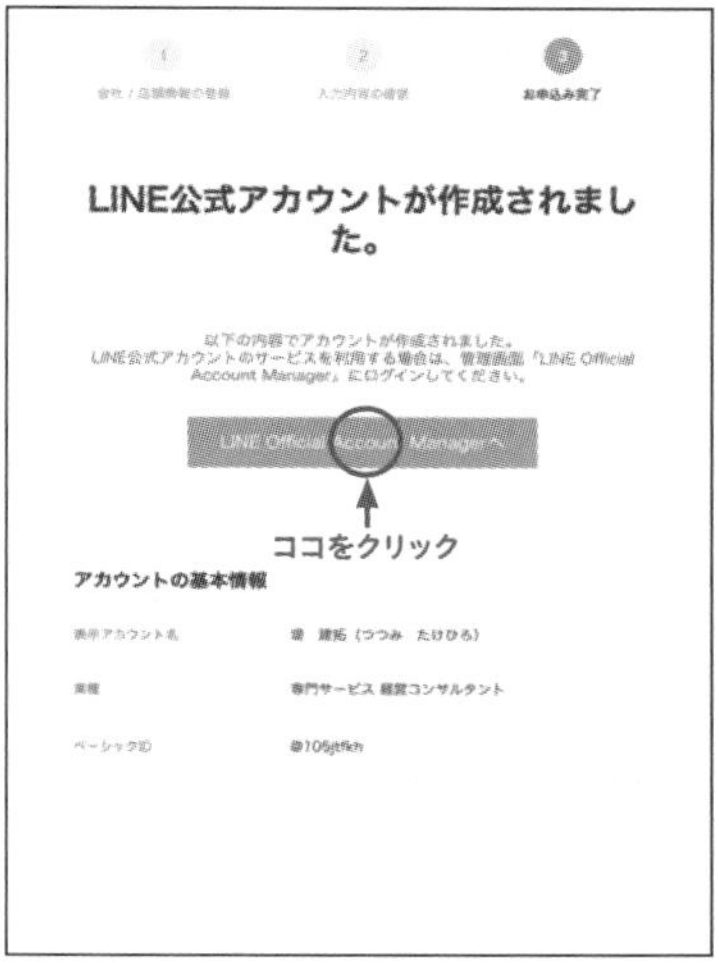

図2-12 ほんの数分でLINE公式アカウントが開設できました。

図2-13の画面が出てきたらOKです。お疲れ様でした。これでLINE公式アカウントを使っていく体制は整いました。あとは具体的に使い方をマスターしていきましょう。

図2-13 こちらがLINE公式アカウントの管理画面です。

2-4

あいさつメッセージの書き方

あいさつはLINE公式アカウントの基本

前節でLINE公式アカウントを開設しました。いよいよここからLINE公式アカウントを活用しよう！……と意気込んでみるものの、機能やメニューの項目が多すぎて、何から手をつけてよいかわからないかもしれません。

本書のコンセプトの１つは、**「コストをかけず、工数をかけず、最小の労力で最大の成果を出す」**ことです。数あるLINE公式アカウントの使い方を一つ一つマスターすることも大切ですが、ここでは最も重要なポイントになる部分だけに絞って解説します。

LINE公式アカウントの運用開始までを大きく３つのステップに分けると、次のようになります。

STEP1：アカウント開設＆整備**（←今はここ）**

↓

STEP2：友だち集め

↓

STEP3：配信

アカウント整備で最も重要なポイントになり、STEP2にも関連してくるのが、あいさつメッセージです。

図2-14　友だち追加されたとき最初に自動配信されるメッセージを「あいさつメッセージ」といいます。

あいさつメッセージは、図 2-14 のように、「友だち追加」されたときに相手に送られる最初のメッセージになります。ここを**単なる最初のあいさつと捉えるか、目的をもったメッセージにするかで、その後の関係性が大きく変わってきます**。

あいさつメッセージの肝は「登録特典」

あいさつメッセージは、友だち追加後に送られる一番最初の共通メッセージです。すなわち、ここに友だち追加のお礼の登録特典をつけることで、友だちを集めやすくすることが可能です。

それでは、どんな友だち登録特典が効果的なのでしょうか。私が代表

図2-15 登録特典は友だち追加のフックになります。

を務めるマーケリンクを例に見てみましょう。**どのような登録特典とするかは、目的から逆算**します。

私がLINE公式アカウントを運用する目的は、自社開催のLINE公式アカウントセミナーへの集客が主です。つまり、友だち追加されたら、セミナーに来てもらうようにしたいわけです。これを念頭に登録特典を考えます。

マーケリンクの場合は図2-15のように、3大特典＋抽選会という構成になっています。

このときポイントになるのは、

①「目的」につながる登録特典であること
②最小の労力で工数がかからないものであること
③それ欲しい！　面白そう！　と思わせるものであること

の3点です。順に解説します。

まず1つ目。こちらの「目的」につながるように導線を工夫します。例えば、特典1の「動画」では、LINE公式アカウントの運用方法について解説していますが、「もっと学びたい方はセミナーへ来てくださいね！」と動画内でもアナウンスをしています。特典2・3では、ダウンロードページの中で、これまたセミナーの案内をしています。最後の大抽選会に関しては、これがそもそも来てほしいLINE公式アカウントセミナーへの招待ですので、当選する→セミナーに来てもらうことができます。

つまり、特典のどの部分を見たとしても、全てセミナー参加につながるようになっています。この効果もあり、マーケリンクのLINE公式アカウントでは友だち追加後、30%の高確率でセミナーに来ていただくことができています。

どのような導線になっているかは、ぜひ図2-16のQRコードから登録して確認してみてください（登録特典は予告なく変更することがありますのでご了承ください）。

次に2つ目のポイントです。最小の労力で工数がかからないこと。LINE公式アカウントをはじめ、SNSで集客を頑張ろうとする人の多く

図2-16 QRコードを読み取って、実際の特典の出方を確認しましょう。

に共通することがあります。それは、始めるのに時間がかかりすぎて、なかなか成果が出ないことです。その理由は人によって様々ですが、「まずはとりあえずやってみる」のが意外と大事です。

私の登録特典も一見、手間がかかっているように見えるかもしれません。しかし、特典１の動画は普段、セミナーでやっている内容をコンパクトにまとめ、私がパソコンで解説しているだけのシンプルな無編集の動画です。特典２・３はLINE公式アカウントのコンサルティングをするときに使っていたクライアント向けのPDF資料をそのままプレゼントにしたため、工数は全くかかっていません。最後のセミナー抽選も、LINE公式アカウントの機能の１つである「抽選付きクーポン」を利用して作成しただけなので、ほんの10分ほどでできてしまいます。

何か大掛かりな特典を作るのもよいですが、まずは最小の労力でスタートしてみましょう。

「抽選付きクーポン」がおすすめ

３つ目のポイント。「それ欲しい！」と登録者に思ってもらう必要があります。ポイント２と相反するような内容なので、少し難しいかもしれません。最小の労力で「それ欲しい！」と思ってもらえるような特典を作るのは、少々難易度が高いことです。

そこで私がおすすめするのは、LINE公式アカウント内の「抽選付きクーポン」を使用することです。**LINE公式アカウントがこれだけ世間的に有名になった今でも、こうした抽選付きクーポンを使っているアカウントはまだ多くありません**。

それゆえに、こうした機能を使って「面白い」アカウントを演出すると、それだけで差別化になりますし、登録特典には最適な機能です。

例えば、私のクライアントにスーパーマーケットの「フレッシュマートとくやま」さんがあります。

とくやまさんは、私のクライアントのうち最南端に位置するお店。鹿児島県の徳之島という人口20,000人程度の離島で、食品スーパーを営んでいます。こちらのスーパーでは、友だち登録特典として、「50名に1名お買い物が無料に！」と題して、図2-17のような登録特典を設けています。

LINE公式アカウントに「友だち」登録すると買い物が無料になるという特典を、レジ前や店内のいたるところに掲示しておくのです。「面白いね！」と言ってもらえて、続々と友だち登録が集まり、現在友だち登録者数は1,000人を超えています。島の人口が20,000人程度ですの

図2-17 シンプルですが、わかりやすい登録特典です。

で、シェア率5%、なかなかの数字です。

実際にかかった労力としては、抽選付きクーポンのデザイン画像の制作だけですので、最小の労力で始めることができました。

ちなみに、とくやまさんではLINE公式アカウントを運用した結果、宣伝した苺のパックが1シーズンで5,000パック（前年比170%）、母の日の売り上げが同125%を記録するなど、毎回LINE公式アカウント効果が出ています。これぞまさに「最小の労力で最大の効果」の典型的な事例です。

他にも、飲食店であれば通常、「ドリンク1杯無料クーポン」などがよくあるケースです。しかし、上記の「面白さ」を加味して、例えば「抽選に当たったら一番人気のステーキ無料クーポン（外れてもドリンク1杯無料)」とすることで、より登録者の増加が期待できるでしょう。

一般的な特典と、私なりに面白さを加えた魅力的な特典を10例、提示してみました（図2-18)。ぜひご参考にしていただき、皆さんも面白い登録特典を考えてみてください。

ジャンル	一般的な特典	→	面白さを加えた抽選特典
飲食店	ドリンク１杯無料	→	抽選に当たったら、一番人気のステーキ無料！（外れてもドリンク１杯無料）
スーパー	お得な配信が送られてくるのみ	→	抽選に当たったら、その場でお買い物最大5,000円まで無料！
美容院	初回カット300円引き	→	抽選に当たったら、ヘッドスパ無料！しかも登録しているだけでいつでもシャンプーなどの物販商品10%OFF
学習塾	入会金50%OFF	→	抽選に当たったら、無料体験後、図書カード3,000円分プレゼント！
ボウリング場	初回貸し靴無料	→	抽選に当たったら、グループ全員当日何ゲーム投げても無料！
ECサイト	初回商品購入10%OFF	→	抽選に当たったらサイト人気No.1商品を無料でプレゼント！（3,000円以上お買い上げの方に限る）
ガソリンスタンド	初回５円/ℓ引き	→	抽選に当たったら、10円/ℓ引き＆トイレットペーパープレゼント！（外れても３円/ℓ引き）
デザイナー	デザイン料金10%OFF	→	抽選に当たったら、YouTubeのサムネイル１枚無料で作成！
話し方講師	初回レッスン50%OFF	→	抽選に当たったら、「営業」での成約率が格段に上がる無料30分レッスンプレゼント！
婚活カウンセラー	初回相談無料	→	抽選に当たったら、お好きな出会いパーティー参加１回無料！

図2-18 サービス別「LINE公式アカウント」登録特典のアイデア。

2-5

リッチメニューを使いこなそう

登録特典とともに、しっかりおさえておきたいのが、リッチメニューの活用です。リッチメニューとは、LINE公式アカウントのトークルーム一番下に表示されるメニューのことです。

図2-19　筆者が代表を務める「マーケリンク」のリッチメニューです。

リッチメニュー=広告ではない

リッチメニューは、友だち追加された後、あいさつメッセージの次によく見られる部分です。また常時表示されるコンテンツなので、基本的には売り上げにつながりそうなメニューを表示しておきます。

ところが、リッチメニューを通常の広告と同じように考えて、ゴテゴテの広告っぽい画像にすることはあまりおすすめしません。よいリッチメニューとは、例えばホームページに近いイメージです。ホームページを広告っぽくする企業ってありませんよね。リッチメニューもあなたやあなたの会社のブランディングをするものと言えます。

だからこそ**リッチメニューには、①あなた（の会社）のキャラがわかるもの、②どんなサービスをしているかがわかるもの、をバランスよく**

出していく必要があるのです。

私はこれらをそれぞれ「キャラメニュー」「ウリメニュー」と呼んでいます。6コマあるリッチメニューの理想的な配分は、キャラメニュー：ウリメニュー＝ 2：4 くらいの比率でしょう。

では、まずあなたのキャラがわかるものを考えてみましょう。例えば、私が代表を務めるマーケリンクの現在のリッチメニューは図 2-19 のようになっています。

キャラメニューに何を載せるか

左上のコマは私の自己紹介コーナーです。こちらをタップすると、文字通り、私の自己紹介が表示されます。好きな食べ物は？　趣味は？　週末は何しているの？　と一見、ビジネスには全く関係ありませんが、こうした親近感をもってもらうメニューを掲載することによって、あなたやあなたの会社のファンを作るのです。結果的に、まわりまわってあなたの商品やサービスが売れていきます。

また、右下のコマをタップすると YouTube にリンクするようになっています。YouTube では当然、動く私（笑）が見られるようになっていますが、これも親近感を感じてもらうことができます。動画は印象に残りやすいようで、LINE公式アカウントの登録者とお会いして話すと、「いつも YouTube 見ています」と結構な頻度で言われます。

あなたが目指すのが店舗型ビジネスであれ無店舗型であれ、あるいは個人事業主であれ法人であれ、やることは同じです。あなた自身やあなたの会社の魅力が伝わるように、

- **自己紹介**
- **会社スタッフの紹介**
- **店長の想い**

・**店舗紹介動画**

・**サービスに秘められた想い**

などをどんどん出していくようにしましょう。以上がキャラメニューの掲載項目例です。

ウリメニューは「面白く」できる

ではウリメニューの掲載項目はどうでしょうか。こちらは実に様々なものが考えられます。要は売り上げUPにつながればなんでもよいわけです。再度、マーケリンクの事例（図2-20）を見てみましょう。

例えば上中央のコマは、「セミナーを探す」部分です。開催中のセミナーをわかりやすく掲示することで、セミナー集客につなげることができます。

一方、右上のコマはサービスについての相談窓口です。マーケリンクで行っているLINE公式アカウントの配信代行やコンサルティングのサービスを、これまたわかりやすく明示しています。

左下のコマは、「お客様からの声」。いわゆる口コミ欄です。お客様の声は、一般的にかなりタップされる傾向があります。サービス購入を検討している方は、どんな結果が出るのか、どんな成功事例があるのか、やはり気になるようです。

図2-20 リッチメニューにイラストを描くことで、キャラを出しています。

下中央のコマには、「このLINEを友だちに紹介する」機能を付けています。友だち集めを少しでも手伝ってもらえるように、この機能を付けてみましょう。実際にタップすると、自分のつながっているLINE友だちに簡単に紹介できるようになっています。誰でも指定のURLを入れることで設定できるようになります。具体的な方法は、本章の最後に解説動画のQRコードを掲載しますのでご覧ください(76ページ図2-24)。

今回紹介したもの以外にも、ウリメニューは様々なものが考えられます。図2-21では、飲食店（ステーキ店）を事例に、考えられるリッチメニューの項目を10個、洗い出してみました。

あなたもご自身に合わせて、ぜひ柔軟な面白いウリのリッチメニューを考えてみましょう。

掲載項目	挙動、ポイント
当店一押しステーキの焼ける音を聞く！	ウリメニューですが、「面白さ」を狙った項目です。タップしたら、ステーキの焼けている美味しそうな音声を流すことができます。
日替わりランチ案内	お得なメニューを出すことによって、来店を促進することができます。
今週のクーポン	「今週のクーポン」のように毎週、定期的に違ったクーポンを載せておくと、気になって頻繁にタップ・使用してくれる人が増えます。
キャンペーン	お店でやっているお得なキャンペーンがあれば、載せておきます。
当店のメニュー	メニューを載せておくと、来店のきっかけになるでしょう。
テイクアウト・デリバリー	店内飲食だけがポイントではないです。
店長のおすすめの食べ方	店長のおすすめの食べ方を動画で出します。キャラの濃い店長だとファンになってくれるでしょう（笑）。
今月のイベント	ステーキ店であれば「29（肉）の日」など、来店のフックになるような面白いイベントがあるとよいですね。
このLINEを友だちに紹介する	登録者から「紹介」してもらい、友だち数を増やすという発想もありです。
ポイントカードをGETする	LINE公式アカウントの中で「ショップカード」と呼ばれるポイントカードを発行することができます。ポイントカードを定着させ、リピート促進を狙うことができます。

図2-21 飲食店（ステーキ店）のリッチメニュー項目のアイデアです。

図 2-21 のリッチメニュー項目の具体的なイメージをつかんでいただけるように、動画にしました（図 2-22）。操作方法と併せてぜひご覧ください。

図2-22 それぞれどのように操作・作成するかを動画で解説しています。

リッチメニューのデザインはプロに頼むべし

さて、ここまで読んでくださったあなたは、「ではリッチメニューをどうやって制作するの？」と思われたかもしれません。リッチメニューは画像であるため、もちろん自分で作ることもやろうと思えばできます。

LINE公式アカウントは誰でも無料で簡単に始めることができ、それがメリットであるわけです。しかしこの**リッチメニューだけは、多少お金をかけてでもプロに頼んで作成してもらった方がよい**です。理由は、リッチメニューがLINE公式アカウントのトークルームでいつでも見られる位置にあること、それほど頻繁に画像を変えることはないこと、の2点です。

それほど頻繁に見られる場所でなければ、あまり重要視されないため、デザインの素人が作ったものでもよいでしょう。

また、頻繁に画像を変更するようなものであれば、費用もかかるため、あなた自身が作った方がよいでしょう。

ですが、リッチメニューは実際によく見られる位置にあり、それほど頻繁にデザインを変えるものでもないのです。マーケリンクの場合も、3か月に1回ほど、マイナーチェンジ（6コマのうち1コマだけ変えるくらい）をしているのみです。ここは**LINE公式アカウントの中で唯一、費用をかけるべきところである**と断言します。

特に個人の方にありがちなのですが、自作と思われるゴテゴテのデザインで“逆ブランディング”になってしまっているリッチメニューを私は幾度となく見てきました。

あなたがせっかくよいサービスをしていたとしても、よさそうに見えなければ逆効果です。リッチメニューのデザインはよく考えて、デザイナーに依頼するようにしましょう。

参考までに、プロに依頼する場合の平均相場を表にしました。参考にしてください。

	アマチュア	セミプロ	プロ
特徴	駆け出しのデザイナー。スキルはピンキリ。	スキルのあるフリーランスのデザイナー。	マーケリンクなどのLINE公式アカウントの専門会社。
掲載項目の相談	LINE公式アカウントの専門家ではないため、相談にはのれないケースが多い。	LINE公式アカウントの専門家ではないため、相談にはのれないケースが多い。	しっかりヒアリングし、適切な提案までしてくれる。
金額	2,000円～3,000円	5,000円～10,000円	30,000円～50,000円
依頼の仕方	知り合いの紹介 ランサーズやココナラなどのクラウドワークスサービスを使う	知り合いの紹介 ランサーズやココナラなどのクラウドワークスサービスを使う	各社のホームページから問い合わせ

図2-23 リッチメニューのデザイン作成を依頼する場合の相場。

ここまで読んで、LINE公式アカウントの基礎を知り、アカウントを開設し、あいさつメッセージとリッチメニューを整備できたあなたは、

LINE公式アカウントを始めるにあたり、申し分のない準備ができたと言えるでしょう。

次章からは、LINE公式アカウントをはじめ、各種SNSを運用する上で大切なメッセージのやりとりについて見ていきます。ここをしっかり理解するかどうかで、あなたの売り上げは大きく変わるものと考えてください。

▼「このLINEを紹介する」ボタンの作り方▼

図2-24 LINE公式アカウントの紹介ボタンを作成してみましょう。

「LINE公式アカウント」チェックリスト43

本書では第2章を中心に、LINE公式アカウントの使い方を解説しています。一般的にSNSと言うと、InstagramやTwitterを真っ先に思い浮かべる方が多く、「LINE公式アカウントのことを初めて知った」という方が少なくないかもしれません。

「LINE公式アカウントってこんなに使えるんだ！」とわかっていただけたと同時に、「もっと深く知りたい！」と思われた方もいるでしょう。

次ページからは、LINE公式アカウントを使うときにおさえておきたいポイントをもれなく、重複なく、43のポイントにまとめました。

このチェックリスト43とともに、これらのポイントを解説した動画も、本書の読者限定のプレゼントとして作成しました。動画で解説をご覧になりたい方は、下記のQRコードからアクセスしてください。また、これらのチェックリストをダウンロードしたい方は、QRコード読み取り後、解説動画のYouTube概要欄からダウンロードできるようになっていますのでご利用ください。

＊プレゼントは予告なく終了することがありますので、ご了承ください。

Download

◀ QRコード読み取り後、解説動画とチェックリストをダウンロードいただけます。

初めての
LINE公式アカウント 運用チェックリスト（No.1~No.23）

1. 料金プランはどうするか？（無料、5,000円、15,000円）
2. 月の配信頻度はどうするか？（大原則は月4回）
3. 「誰に」配信するか？
4. 「何を」（どんな情報を）配信するか？
5. どんなサービスを販売するか？
6. アカウント名はどうするか？
7. ステータスメッセージはどうするか？
8. プロフィール画像はどうするか？（個人の顔写真？店舗の写真？ロゴ？）
9. 背景画像は何にするか？
10. メニューバーの色はどうするか？
11. プレミアムIDは設定するか？
12. 位置情報は設定したか？
13. プロフィールのページに「テキスト」を活用し、何を掲載するか？
14. プロフィールのページに「コレクション」を活用し、何を掲載するか？（例：サービス内容）
15. プロフィールページの「基本情報」に情報は入っているか？
16. その他、プロフィールページはどんな構成にするのか？
17. プロフィールページのTOP 3つのボタンには何を出すか？
18. ショップカードは作成するのか？作成するならば、ゴール特典、小特典、それぞれまでのポイント数をどうするか？
19. ランクアップカードは作成するか？ゴール特典、小特典、それぞれまでのポイント数をどうするか？
20. LINE公式アカウントの管理（チャット・配信）は誰が行うのか？
21. チャットモード or Botモードはどうするか？
22. テキスト配信ではどんな配信をするか？
23. ボイスメッセージではどんな配信をするか？

初めての LINE 公式アカウント 運用チェックリスト（No.24~No.43）

- 24 クーポンではどんな配信をするか？
- 25 抽選付きクーポンでは どんな配信をするか？
- 26 リッチメッセージでは どんな配信をするか？
- 27 リッチビデオメッセージでは どんな配信をするか？
- 28 リサーチページでは どんな配信をするか？
- 29 キーワード応答メッセージでは どんな仕掛けを作るか？
- 30 あいさつメッセージはどうするか？ （黄金パターンは、テキスト＋ リッチメッセージ＋リッチメニュー）
- 31 上記に関して、登録特典はどうするか？
- 32 リッチメニューは大 or 小、 何分割にするのか？
- 33 リッチメニューには何を掲載するのか？ （キャラづくり、集客、収益化、 クーポン、ショップカード、 テキスト、リンク）
- 34 タイムラインには何を投稿するのか？
- 35 友だちはいつまでに、何人集めるのか？
- 36 既存のオンラインリソースは どのくらいあるか？ （ブログであれば PV 数、 インスタであればフォロワー数）
- 37 既存のオフラインリソースは どのくらいあるか？ （持っている名刺数）
- 38 実店舗の場合、どのような ポスターやチラシを置くのか？
- 39 月４回の配信内容を どのような配分にするか？ （キャラづくり、集客、収益化）
- 40 ブロック率は どのくらいまでに抑える目標か？
- 41 チャット運用で何を目標とするか？
- 42 どんなタグ付け運用をするか？
- 43 カードタイプメッセージで どんな配信をするか？

第3章

SNS仕事術の成否は「1対1」のコミュニケーションが決める

3-1

フォロワー数より重要な「SNSコミュニケーション術」

商品を買ってもらう以前の「接点」を考える

第２章ではSNS集客における、LINE公式アカウントの大切さとその開設方法をご紹介しました。SNS仕事術の次なるステップとしては「SNSのフォロワーやLINE公式アカウントの友だちを集める」といきたいところですが、その前にもっと重要なことが実はあります。

それがSNS上のコミュニケーション術です。

極端な話をしましょう。皆さんはどんな人からモノを買いたいですか。提案力がある人？　物腰が柔らかな人？　アフターケアまでしっかりしてくれそうな人？　様々な意見が出そうですが、総じて言うと、「コミュニケーションに長けている人」と言えるのではないでしょうか。

反対に、ぶっきらぼうな人や説明下手な人から、積極的にモノやサービスを買いたいと思う人は少ないはずです。

さて、あなたがSNS集客に力を入れ、あなたから不特定多数の人にモノやサービスを買ってもらおうとしたら、**最初の接点は**どこになるでしょうか。よく考えてみてください。**９割以上の確率で**、それは**SNS上のメッセージでのやりとりになる**はずです。

例えば、YouTubeの動画編集ができる人に仕事を依頼するにあたり、「以前、紹介いただいた○○さんにお願いしようかな？」と思ったとき、私はFacebookのメッセンジャーなどSNSで連絡することが多いです。こちらからメッセージを送り、まずはやりとりを重ね、メッセージ上で具体的な商談が進むケースもあれば、一度、リアルで商談を行うケースもあります。いずれにせよ、最初の接点はSNS上でのメッセージなのです。

いま挙げたのはFacebookのメッセンジャーでしたが、LINE公式アカウントへのメッセージも、InstagramやTwitterでのDM（ダイレクトメッセージ）も、全ては1対1のコミュニケーションです。

つまり、どのような場合においても、（商品選択から注文・受け取り、決済まで全てが自動化されたオンラインサービスでない限りは）基本的にメッセージを通して依頼が入るわけです。そして、実はこのメッセージのやりとりが、お客様から受注できるかどうかに大きく関わってきます。

SNS集客というデジタルな世界だからこそ、**実はアナログのメッセージのやりとりが重要**だということをまずは理解しましょう。

ゼロから始めた英会話スクールの話

私が起業当初、「1対1のやりとりが非常に大切だ」と思った事例を少し紹介させてください。

前章までに述べた通り、私は現在のWebマーケティングの仕事を始める前、独立当初は英会話スクールの運営をしておりました。慣れないながらもブログを書くことによって、月に数件ではありましたが、英会話体験レッスンの申し込みをいただくことができるようになりました。

ブログからの体験レッスン申し込み窓口には、LINE公式アカウントを使っていました。ブログを通じてLINE公式アカウントの「友だち」

になってもらい、名前や希望コースなどを個別メッセージで気軽に送ってもらえるようにしていたのです。

今でこそ、ブログやホームページから申し込みをいただく窓口にLINE公式アカウントを使っている事業者は数多くあります。しかし、今から4年ほど前は、LINE公式アカウント（当時はLINE@）を窓口に使っている例は私が知る限りほぼありませんでした。

LINE公式アカウントから気軽にメッセージを送ってもらうことで、私は体験レッスン経由の成約率を上げようとしました。

よく見かけるWebを使った一般的な問い合わせフォームの場合、電子メールでのやりとりが普通です。相手が企業やビジネスマンであれば電子メールを使うことも普通ですが、一般消費者の場合はそうではないかもしれません。

私自身もそうなのですが、電子メールはいちいち宛名を書いたり、かしこまった文章にしなければいけなかったりと、とにかく送るのが億劫になりがちです。それが原因で面倒くさくなって、体験レッスンをドタキャンされてしまっては元も子もありません。

4年前の私は、時代の変化に合わせて、電子メールではなくLINE公式アカウントを使って、気軽に申し込んでもらえるように考えました。

結論から言うと、これが成功の大きな要因になったのです。

LINE公式アカウントを体験レッスンの申し込み先ツールとして使ったメリットは、大きく分けて2つありました。

①LINE公式アカウントで気軽に体験レッスンの申し込みができることで、申し込み数が増えた（これは憶測ではありますが、効果的なので現在の私も一貫してLINE公式アカウントから申し込みをいただくようにしています）

②個別メッセージで気軽にやりとりができるので、信頼してもらいやすく、親近感をもってもらいやすくなった

特に②に関しては、私自身の実体験に基づいて、とても効果的だったと感じていることです。具体的にお話をさせてください。

「無料体験」を成約につなげるために

オーバーに聞こえるかもしれませんが、成約するかどうかは事前のメッセージのやりとりの時点で95%決まっていると思います。

少し話が横にそれますが、実は独立当初の私は、営業やクロージング（商談・取引などを成立させること）が大の苦手でした。自分の商品やサービスを相手に無理やりおすすめしているように思え、ハードルの高さを感じていたのです。

「じゃあどうしたら、クロージングをしなくても、自分のサービスを購入してもらえるのか？」を突き詰めていった結果、事前のやりとりを徹底して、体験レッスンに来てもらう段階で、すでに「買いたい！」とお客様に言ってもらえるような環境を作っておいたらよいのではないか、という仮説に行き着きました。

英会話体験レッスンの申し込みをいただいてから、実際の体験レッスン当日を迎えるまでには、およそ1週間前後の期間があります。この期間中に、いい意味で見込みのお客様と仲良くなれるようなメッセージのやりとりを展開していきました。

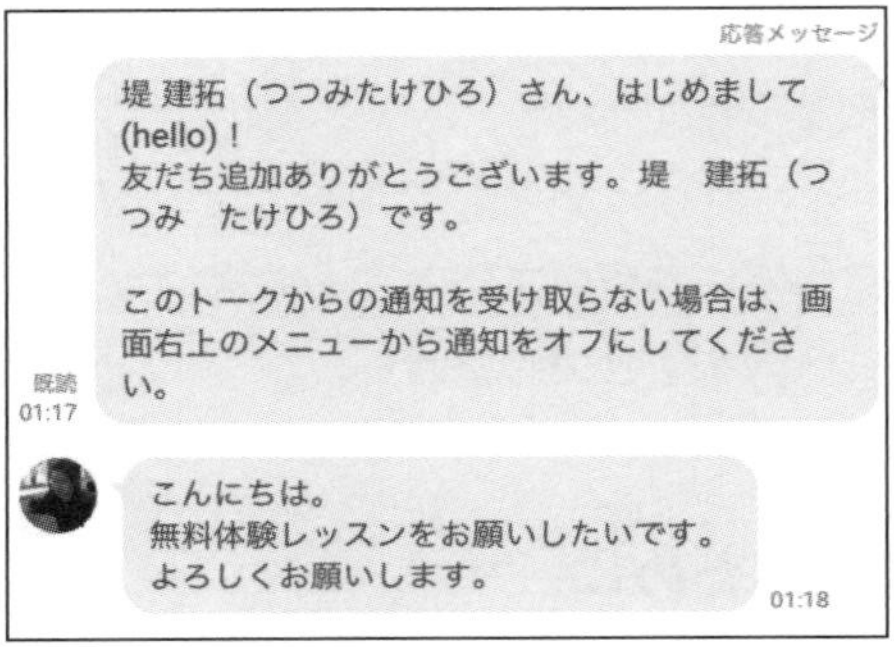
応答メッセージ
堤 建拓（つつみたけひろ）さん、はじめまして(hello)！
友だち追加ありがとうございます。堤　建拓（つつみ　たけひろ）です。
このトークからの通知を受け取らない場合は、画面右上のメニューから通知をオフにしてください。
既読
01:17
こんにちは。
無料体験レッスンをお願いしたいです。
よろしくお願いします。
01:18

図3-1 問い合わせの対応1つで、成約の可否に大きく影響します（画像はデモ画面）。

では、ここからは実際にどのようなメッセージのやりとりをしたらよいのか、具体例を見ていきましょう（図3-1）。

多くの場合、最初のメッセージはぶっきらぼうとは言わないまでも、少々淡白な形で送られてきます。例えば次のような内容です。

問い合わせ者：こんにちは。無料体験レッスンをお願いしたいです。よろしくお願いします。

もちろん程度の差はありますが、だいたいこのような“あっさり型”です（笑）。この文章からわかる通り、体験レッスンを申し込まれる時点では、あなたに対する信頼度は、まだそれほどないと言っていいでしょう。

問い合わせ者：はじめまして。まだ入会するかどうかはわかりませんが、無料体験レッスンを受講できればと思います。

と、ご丁寧に少々警戒されている（？）メッセージをくださる方もいるくらいです。

この**信頼度ゼロに近いところから、あなたは「自分のファンになってもらう！」くらいの勢いでメッセージをする**ことで、結果的に成約率アップにつなげていくことができます。

ではここで、また先ほどのメッセージに戻ります。

問い合わせ者：こんにちは。無料体験レッスンをお願いしたいです。よろしくお願いします。

このようなメッセージが送られてきた場合、あなただったら、どのように返信しますか。ポイントはいくつかあるかと思いますが、一緒に考えてみてください。

私であれば、こう返します。

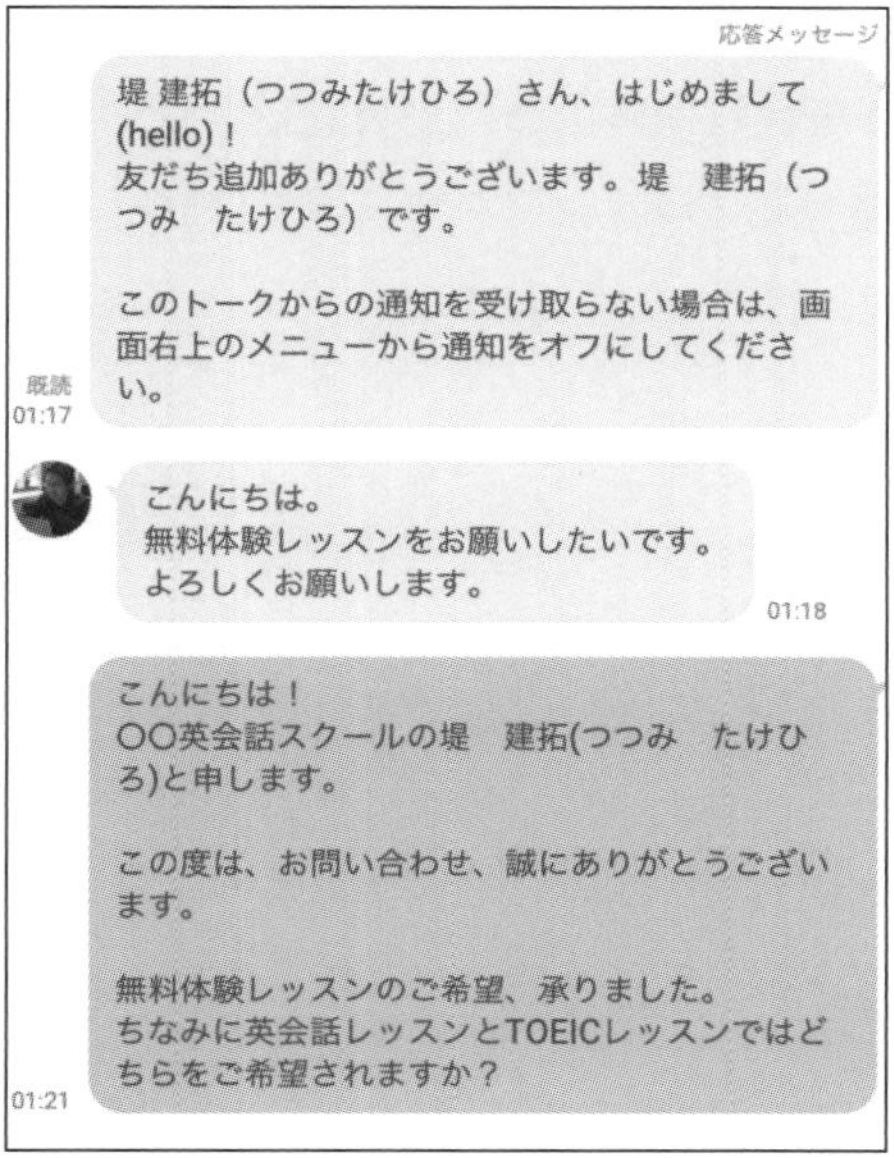

応答メッセージ
堤 建拓（つつみたけひろ）さん、はじめまして
(hello)！
友だち追加ありがとうございます。堤　建拓（つつみ　たけひろ）です。
このトークからの通知を受け取らない場合は、画面右上のメニューから通知をオフにしてください。
既読
01:17
こんにちは。
無料体験レッスンをお願いしたいです。
よろしくお願いします。
01:18
こんにちは！
〇〇英会話スクールの堤　建拓(つつみ　たけひろ)と申します。
この度は、お問い合わせ、誠にありがとうございます。
無料体験レッスンのご希望、承りました。
ちなみに英会話レッスンとTOEICレッスンではどちらをご希望されますか？
01:21

図3-2　文章１つとっても、シンプルですが奥が深いです（画像はデモ画面）。

堤：こんにちは！　○○英会話スクールの堤　建拓（つつみ　たけひろ）と申します。この度は、お問い合わせ、誠にありがとうございます。無料体験レッスンのご希望、承りました。ちなみに英会話レッスンとTOEICレッスンではどちらをご希望されますか？

実は、このメッセージの返し方は、シンプルなようで様々な工夫が詰まっています。このメッセージには、どんなポイントが含まれているでしょうか。あなたも一緒になって考えてみてください（次節で答え合わせをしていきます）。

繰り返しになりますが、LINE公式アカウントやFacebookメッセンジャーでのやりとり、InstagramやTwitterでのDM、媒体は変われど本質は同じです。

SNSで申し込みをいただける現代だからこそ、「SNS上でのメッセージマナー」「SNS上でのメッセージクロージング術」はぜひ身につけておきたいですね。

3-2

成約率をUPさせる「SNSメッセージ」作成法

「無料体験申し込み」に答える4つのポイント

それでは、前節で見た例文の流れをもう一度記します。

問い合わせ者：こんにちは。無料体験レッスンをお願いしたいです。よろしくお願いします。

堤：こんにちは！　○○英会話スクールの堤　建拓（つつみ　たけひろ）と申します。この度は、お問い合わせ、誠にありがとうございます。無料体験レッスンのご希望、承りました。ちなみに英会話レッスンとTOEIC レッスンではどちらをご希望されますか？

たったこれだけの文章でも、実は４つのポイントが隠されています。順に見ていきましょう。

①自分の名前はわかりやすく先に名乗る

LINE公式アカウントやSNSから問い合わせをいただく際に、初対面のケースだと、相手が名前を名乗らないケースも散見されます。そのようなときでも、なるべく自分から名乗るようにします。**相手の情報が聞きたかったら、自分から情報開示をするのが先**です。

相手の名前が聞きたかったら、自分から名乗る。相手がどこに住んでいるか聞きたかったら、自分から伝える。自分の情報を伝えずに、相手に聞いてばかりだと、「この人は、自分の商品を売るためにいろいろ情報を聞き出そうとしているのかな？」と不信感をもたれてしまいます。

そしてもう１つのポイントは、名前をフルネームで、かつわかりやすく伝えるということです。

「堤と申します」や「堤　建拓と申します」よりも、「堤　建拓（つつみたけひろ）と申します」の方が、丁寧でわかりやすいですよね。この名前はなんと読むのだろう？　と相手にモヤモヤを与えないように、配慮することを心がけます。

②常に相手に感謝を伝える

これはビジネス全般において基本となることですが、感謝の言葉を常にメッセージ上にのせることが大切です。先の例文では「この度は、お問い合わせ、誠にありがとうございます」の部分です。

「ありがとうございます」と言われて嫌な気持ちになる人などいないでしょうし、逆にこの「ありがとうございます」がないと、少々事務的な印象も与えてしまいます。

１回のメッセージにつき１回は感謝のメッセージを入れるくらいの勢いで、多少オーバーな形になっても感謝することを心がけましょう。

③相手の言ったことを受ける（呼応する）

これは実際、かなり細かいテクニックなのですが、例文の「無料体験レッスンのご希望、承りました」の部分です。

これは、問い合わせ者が「無料体験レッスンをお願いしたいです」と言った部分に呼応しています。

つまり、「無料体験レッスンをお願いしたいです」と言われたら、

「無料体験レッスンのご希望ありがとうございます」
「無料体験レッスンのお申し込みですね」
「無料体験レッスンのご希望、承りました」

など、何でもよいのですが、**あなたのメッセージをしっかり見ていますよ**、ということを相手に知らせてあげると、丁寧な印象を与えることができます。

④やりとり開始直後は疑問文で終わらせる

せっかくあった申し込みも、途中で相手からメッセージが返ってこなくなっては元も子もありません。そのため、「もう大丈夫だな」と思うまではなるべく疑問文で終わらせた方が、相手からの返信率が上がります。肯定文で文章を終わらせてしまうと、意外と返信されないケースがあるので要注意です。

先の例文（87ページ図3-2参照）では、「ちなみに英会話レッスンとTOEICレッスンではどちらをご希望されますか？」の部分が最後の疑問文になります。

複数のコースがある場合は、現時点でどれに興味があるかを聞くことができます。最後の疑問文は、聞いて意味があるもの、返答しやすいものをチョイスするとよいでしょう。

やりとりが何往復もして、信頼関係ができてきた段階では、毎回疑問文で終わらせると、逆に圧が強い文章（返信を強要されている気になる文章）になってしまうので、それこそ注意が必要ですが、初期の段階では疑問文で終わらせるようにしましょう。

このように、実はたった１回のやりとりでも、成約率に関わるようなポイントがいくつも詰まっているのです。

蛇足ですが、私は独立する前、英会話スクールに勤務していた経験があります。通常、一般的な大手の英会話スクールでは、体験レッスンを受けてからの成約率は60%が平均とされています。よい講師・よい営業であっても、70%あればすごいね、となります。

そうした中で、90%以上の成約率を出すのはなかなか難しいように思えますが、営業トークを磨くこともさることながら、こうした事前のSNS上でのやりとりが大きく成約率を左右するとも言えます。

見込みのお客様との最初の接点になり得るSNS上でのメッセージは、決して軽視してはいけません。

次節も「英会話無料体験レッスン」を例に続けていきましょう。

3-3

SNSのメッセージは全て「相手本位」が基本

「相手本位」をモットーにやりとりをしよう

SNS上でのメッセージのやりとりは無限にあり、全ての場合に「こうきたら、こう」と一つ一つマニュアル化するのは無理があります。

そこでSNS上のメッセージを円滑に進めるためのキーワードをお伝えします。それが**「相手本位」**です。前節までの問い合わせメッセージをおさらいしましょう。

問い合わせ者：こんにちは。無料体験レッスンをお願いしたいです。よろしくお願いします。

堤：こんにちは！　〇〇英会話スクールの堤　建拓（つつみ　たけひろ）と申します。この度は、お問い合わせ、誠にありがとうございます。無料体験レッスンのご希望、承りました。ちなみに英会話レッスンとTOEICレッスンではどちらをご希望されますか？

このやりとりに対して、次のようなメッセージが返信されたとします。

問い合わせ者：ありがとうございます。英会話レッスンを希望します。何か持参するものなどありますか？

この返信メッセージに対して、あなたなら何と返しますか。私ならば、こう返します（図3-3）。

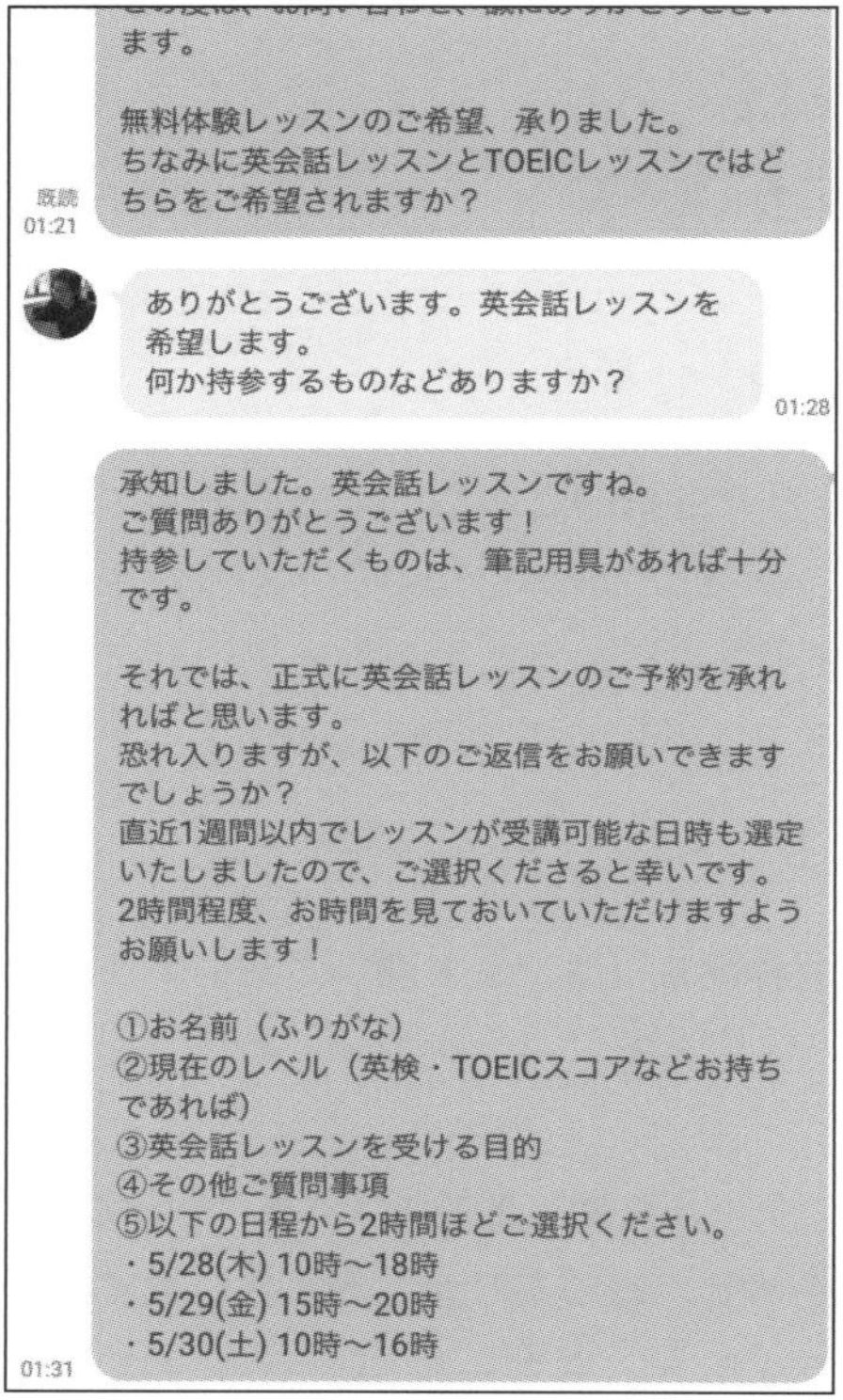
ます。

無料体験レッスンのご希望、承りました。

ちなみに英会話レッスンとTOEICレッスンではどちらをご希望されますか？

既読
01:21
ありがとうございます。英会話レッスンを希望します。

何か持参するものなどありますか？

01:28
承知しました。英会話レッスンですね。

ご質問ありがとうございます！

持参していただくものは、筆記用具があれば十分です。

それでは、正式に英会話レッスンのご予約を承れればと思います。

恐れ入りますが、以下のご返信をお願いできますでしょうか？

直近1週間以内でレッスンが受講可能な日時も選定いたしましたので、ご選択くださると幸いです。

2時間程度、お時間を見ておいていただけますようお願いします！
①お名前（ふりがな）
②現在のレベル（英検・TOEICスコアなどお持ちであれば）
③英会話レッスンを受ける目的
④その他ご質問事項
⑤以下の日程から2時間ほどご選択ください。
・5/28(木) 10時〜18時
・5/29(金) 15時〜20時
・5/30(土) 10時〜16時
01:31

図3-3　単なる返信ではなく、相手本位のメッセージを心がけましょう（画像はデモ画面）。

堤：承知しました。英会話レッスンですね。ご質問ありがとうございます！　持参していただくものは、筆記用具があれば十分です。それでは、正式に英会話レッスンのご予約を承れればと思います。恐れ入りますが、以下のご返信をお願いできますでしょうか？　直近１週間以内でレッスンが受講可能な日時も選定いたしましたので、ご選択くださると幸いです。2時間程度、お時間を見ておいていただけますようお願いします！

①お名前（ふりがな）

②現在のレベル（英検・TOEIC スコアなどお持ちであれば）

③英会話レッスンを受ける目的
④その他ご質問事項
⑤以下の日程から 2 時間ほどご選択ください。
・5/28（木）10 時〜 18 時
・5/29（金）15 時〜 20 時
・5/30（土）10 時〜 16 時

少し長いかもしれませんが、この段階である程度、まとめて聞きたい情報を列挙します。特に相手のお名前はメッセージの随所に入れていくと、親近感がわきます。早めに知っておきたいですね。

そして、細かいポイントですが、体験レッスンの日程などを調整する際は、こちらから候補日を送るのが基本です。

「ご希望日はありますか？」と送るのは簡単ですが、これだと相手に主導権がありますし、何よりスケジュール帳を開いて、いちいち日程を確認して送ってもらわないといけません。それでいて相手が送った日程にあなた自身の都合が合わないと二度手間になります。

日程調整 1 つとってみても、こちらから日時を複数提示するのか、相手から送ってもらうのか考える必要がありますが、大切なのは、**どのようにしたら相手が一番答えやすいか、相手に負担をかけないか**に尽きると思います。

このような考え方を、本書ではシンプルに**「相手本位」**という言葉で集約します。どんなメッセージでもこの「相手本位」に立てば大丈夫です。

ここまで、メッセージのやりとりの基本について説明してきました。しかし、これはある種、当たり前のことであり、これだけで成約率が上がるとは思えない方も多いでしょう。

次節では、この「相手本位」をさらに意識したメッセージ術を紹介します。

3-4

出し惜しみしない「ギブの精神」が成約の鍵

「ギブの精神」で与えまくる

ここからは、SNS 上でメッセージをやりとりする醍醐味であり、成約率を向上させる上で最も大切なポイントをご紹介します。

通常、メールでの問い合わせは、「無料体験」に必要な個人情報を入れ、それに対してサンキューメッセージが自動または手動で送られる程度です。強いて言うならば、「無料体験」前にリマインドメールが送られるくらいでしょう。

しかし、LINE公式アカウントをはじめとしたSNS 上でのメッセージは、ポンポンとテンポよくやりとりできます。これを最大限に活かします。

相手に必要な情報を送っていただけたら、あとはどこまで仲良くなるかが勝負だと私は思っていました。例えば、メッセージをやりとりする中で、相手との共通点を見つけ出すことです。ここでのポイントは主に3 つあります。

①なるべく接触回数を増やすこと
②相手との共通点を見つけること
③プロとして圧倒的にギブする（相手に与える）こと

一つ一つ詳しく見ていきましょう。

①なるべく接触回数を増やすこと

SNSのメッセージは、やりとりの構造上、何度も接触することが可能です。「無料体験」当日までに1回しかメッセージを交わさないのと、何度もやりとりするのとでは、どちらがより相手に好感をもつでしょうか。

何度も接触回数を重ねることで、相手に好感をもつことは心理学でも立証されていて、これを専門用語でザイオンス効果と呼びます。

例えば、社内の同じプロジェクトで何度も関わるうちに異性の同僚を好きになるような社内恋愛が多くあるのも、このザイオンス効果を考えるとなんとなく頷けます。

まずは**なるべくメッセージ回数を増やして、相手のことをよく知るとともに、あなた自身のことも知ってもらいましょう**。

②相手との共通点を見つけること

何度かメッセージをやりとりすると、必ず相手との共通点を見つけ出すことができます。逆に言うと、相手との共通点を見つけ出すための質問をしてもよいでしょう。共通点を見つけることはそれほど難しいことではありません。

- 好きな食べ物
- 居住地
- 趣味

など何でもOKです。例えば英会話レッスンなら、海外に興味のある方が大半ですから、今までに訪れた国などを聞くと話に花が咲くケースが多く、共通点も多く見つかります。私はカナダやオーストラリアに長く滞在したことがあったので、現地にいないと知り得ないような**コアな共通点で盛り上がったことも多々ありました**。

③プロとして圧倒的にギブする（相手に与える）こと

3つ目。これが成約率を上げるために最も重要なことかもしれません。

私が経験した「英会話スクールの無料体験レッスン」への申し込みのケースでは、そもそも論として、相手は何か解決したい悩みや達成したいことがあって私の英会話スクールを訪れてくれます。

例えば、相手がこれから留学を考えている20歳の大学生で、留学する前にできるだけ日本で英会話力を伸ばしておきたい、という人だったとしましょう。

メッセージのやりとりの中で、「どの国に留学に行こうか迷っている」ことが判明したとします。こんなとき私は、そのお悩みを解決するアンサーブログや動画を相手に送るようにしていました。

こうしたよくある質問に関しては、例えば、「プロが選ぶ！　大学生向け最新おすすめ留学先ベスト5！」など、ブログですでに書いていた記事を送ってあげるのです。この意味で、普段からある程度ブログを書いておくことも非常に大切です。

プロしか知り得ない情報を惜しみなく、圧倒的にギブする精神で相手に提供してあげることで、相手のあなたへの信頼がグッと増します。

他にも、「TOEICのスコアを短期間で100点伸ばしたい」という目的が相手にあったとしたら、「TOEIC スコア！　あと 100 点を 1 か月で伸ばすために押さえたい問題 10」などの YouTube 動画を送ってあげたりしていました。

第 1 章でも触れたように、YouTube は集客媒体として使うだけがポイントではありません。YouTube には、以下のように様々なメリットがあります。

・あなたの人柄やキャラを伝えられる
・あなたの教え方や指導の仕方を伝えられる
・短時間でわかりやすく問題解決してあげられる

いわば、成約率を上げるために YouTube を使うことができるのです。最近でこそ、YouTube をビジネスで、集客媒体として使おうという動きが高まってきましたが、私が独立した 4 年前はそれほどでもありませんでした。

しかし、「YouTube動画こそ、成約率を上げられる媒体として使える」と思った私は、当時から 100 本以上の動画を制作・ストックしておき、このように成約率 UP のツールとして惜しみなく相手にプレゼントしていました。

質問や悩みに答えるプレゼント動画は効果大

普段のレッスンやこうしたメッセージのやりとりの中で、質問されたことは常に動画にしてアンサーとして残していました。それをストックしておき、いつでもアンサーとして出せる状態にしておくのです。

動画といっても決して大掛かりなものではありません。私の場合は、キャプチャ動画といって、パソコン上の画面を見せながら、私の声だけ吹き込んで解説しているものがほとんどでした。

これだと制作コストも時間もかからず、すぐに作ることができます。YouTube をはじめとした動画マーケティングの第一歩は、**よくある質問やお悩みに簡潔に答える動画のストックを作っておき、見込み客にどんどん提供すること**でしょう。


英会話スクール時代に培ったこの経験を活かし、LINE公式アカウントのプロとして仕事をしている今でも、このスタンスは変えていません。

お客様からよくいただく質問への回答を動画にしたものを、シンプルに YouTube 上にアップしています。この動画もすでに 100 本以上あります。

最近では、YouTube を見て問い合わせをしてくれる方も増え、いわゆる集客媒体としての効果も上々です。開始 5 か月で 200 万円以上の受注を YouTube だけであげることができています。お客様に満足いただくための成約率 UP 動画が新たな集客媒体ともなり、一石二鳥です。


これまた手前味噌で恐縮ですが、私がこれまで独立してから、最も多くの方に共通して言われたこと。それが、「堤さんってギブの精神がすごいですよね。そこがよかったので、堤さんに依頼しようと決めました」ということでした。

自分の持つ全ての知識・ノウハウを開示すること。出し惜しみをしないこと。リアルの世界でも同じですが、特に SNS マーケティングにおいては大切なことです。

3-5

SNSの「コメント欄」からも仕事が取れる

「コメント欄に書き込まれた質問」への返信が大事

SNSの醍醐味は、自分の投稿に書き込まれた、見知らぬコメントにも返信できる、つまりコミュニケーションが取れることです。

SNSに投稿していると、コメントがつくことがよくあります。私の場合、Facebookの投稿には知り合い（以前にリアルでつながった人）からのコメントがよくつきます。それに対して、InstagramやYouTubeのコメント欄には、リアルでお会いしたことのないフォロワーや、動画を見た人からコメントがつきます。

私の動画はLINE公式アカウントの運用ノウハウについて話している関係から、よく「こういった場合はどうですか？」「このようなアカウントを運営しているのですが、どうしたらよいでしょうか？」という質問が多く寄せられます。

こういったコメントがきたときは大チャンスです（笑）。もちろん、全てのコメントに返信できないこともありますが、私はできるだけ自分で見て自分で返すようにしています。

いただいた**質問に対して、圧倒的にギブする精神で親身になって答える**ようにしています。すでに答えになっている動画やブログがあれば、そちらのリンクを貼り、なければ「新たに動画を作成しました！」と返すこともあります。これで質問者からはとても感謝されます。

ただ、感謝されて終わるだけではいけないので、私の場合、さらに明確なCTAを伝えるようにしています。CTAはWebマーケティング用語ですが、ぜひ覚えておきましょう。Call to Actionの略です。日本語では「行動喚起」――つまり、相手に次の行動を起こさせるフックのようなものです。

例えば、次のような質問があったと仮定しましょう。

コメント者：動画、とても参考になりました！　私は2つの事業をしているのですが、アカウントを1つにするか、2つにするか悩んでいます。

このようなYouTubeのコメント書き込みがあった場合、まず私は次のようにアンサーします。

堤：ご質問ありがとうございます！　いただいたご質問の回答がこちらの動画に簡潔にまとまっていますので、ぜひご覧ください＾＾（ここに該当のURLを載せる）
ただ、動画ではあくまで一般論を話しているので、もう少し質問者さんの状況を詳しく教えていただければ、明確な回答ができるかもしれません。よろしければ、LINE公式アカウントからもう少し詳しいことを伺えればと思いますので、お気軽にメッセージくださいね！

この場合、アンサー＋CTAとなっており、ここではCTAが「LINE公式アカウントからメッセージする」ということです。この他にも、当社が行うセミナーに参加してもらったり、個別でご相談ができるイベントに参加してもらったりと、その時々のケースによってCTAを変えています。

投稿へのコメントに返信することを含めたSNS上でのコミュニケーションが、いかに大切で効果があるか、わかっていただけたでしょうか。

ビジネス初心者であればあるほど、本質的な部分を理解すべきだと私は思っています。巷でよく言われる「フォロワー何万人を目指すノウハウ」といったものではなく、当たり前ではありますが、**一つ一つのメッセージを工夫することが、独立・起業後間もない段階では最も大切**になってくるのです。

このことを理解するかしないかで、フォロワー集め・チャンネル登録者集め・友だち集めが変わってきます。本章の内容をマスターしたあなたなら、もう大丈夫ですね。

第4章では、SNS上で最も難易度が高いと言われている「友だち数を増やす方法」について見ていくことにします。

SNS で集客や売り上げ UP について考えるには、まずその全体像を把握することが大切です。少し複雑ですが、以下はぜひ理解しておきたい概念図です。

以下の QR コードからこの図についての YouTube 解説動画を無料で

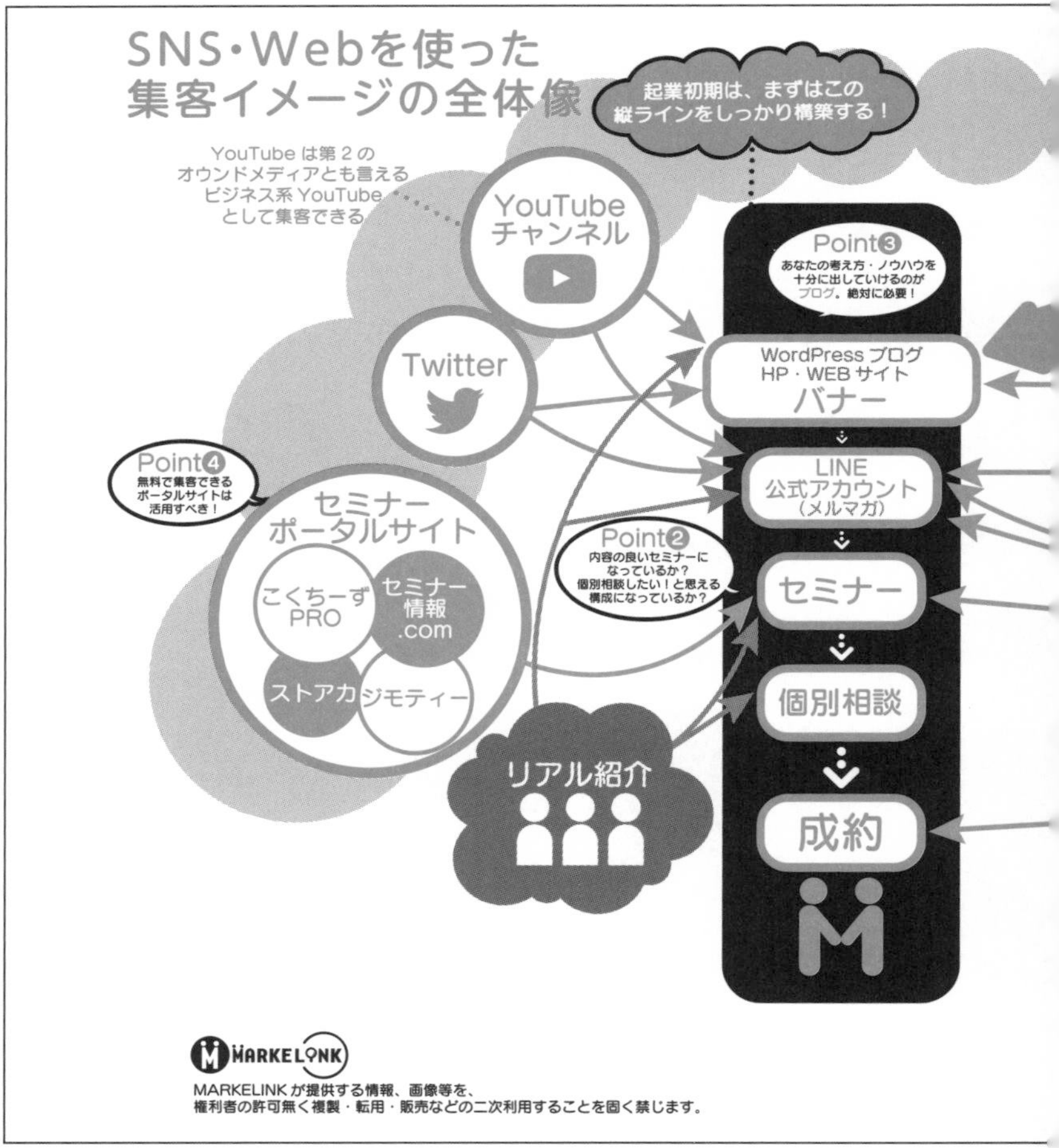

ご覧いただけます（予告なく終了することがあります）。

Download

◀ **QRコード読み取り後、解説動画とSNS・WEB集客全体図をダウンロードいただけます。**

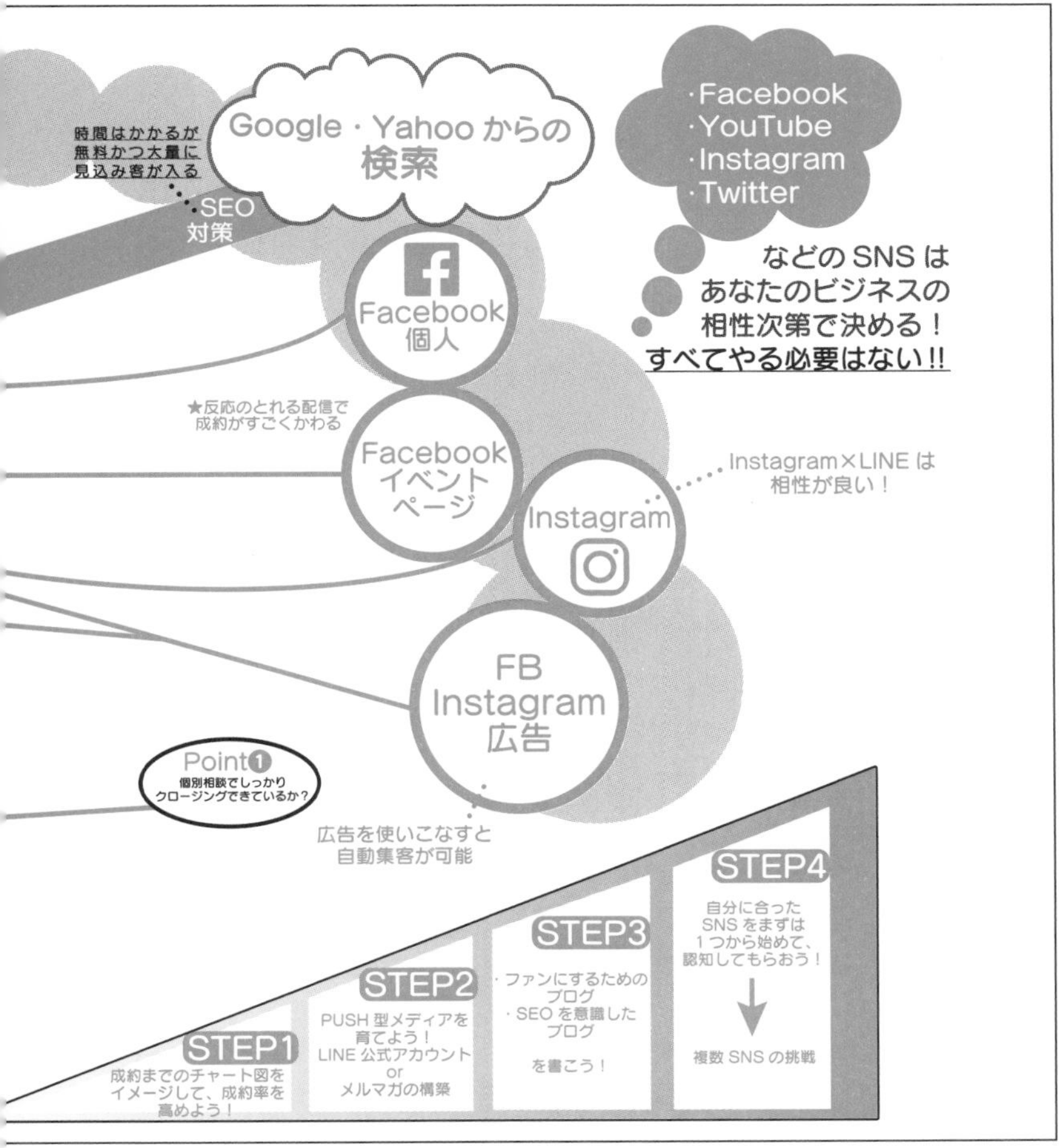
時間はかかるが
無料かつ大量に
見込み客が入る
SEO
対策
Google・Yahooからの
検索
・Facebook
・YouTube
・Instagram
・Twitter
などのSNSは
あなたのビジネスの
相性次第で決める！
すべてやる必要はない!!
Facebook
個人
★反応のとれる配信で
成約がすごくかわる
Facebook
イベント
ページ
Instagram×LINEは
相性が良い！
Instagram
FB
Instagram
広告
Point❶
個別相談でしっかり
クロージングできているか？
広告を使いこなすと
自動集客が可能
STEP1
成約までのチャート図を
イメージして、成約率を
高めよう！
STEP2
PUSH型メディアを
育てよう！
LINE公式アカウント
or
メルマガの構築
STEP3
・ファンにするための
ブログ
・SEOを意識した
ブログ
を書こう！
STEP4
自分に合った
SNSをまずは
1つから始めて、
認知してもらおう！
複数SNSの挑戦

第4章

フォロワー・友だち集めを徹底攻略

4-1

10,000人のフォロワーより、100人の「濃いファン」

フォロワー・友だちの濃度が重要

それではここからは、SNS マーケティングにおいて大きな要《かなめ》となるフォロワー・友だち集めについて見ていきましょう。Instagram であればフォロワー、LINE公式アカウントであれば友だち、YouTube であればチャンネル登録者、とそれぞれ呼び方は異なります。

ただし、呼び方は違えど、本質的な部分に着目すると、「フォロワーや友だち＝あなたのファン」と言うことができます。**どの SNS 媒体であっても、あなたのファンを増やすようなイメージで運用していくと、必ずうまくいきます**。逆に、SNS で広告的な投稿を繰り返していたり、売り込みが多かったりすると、これはファンを増やす行動とは言えず、うまくいきません。

やや大げさな話をします。仮にあなたの Instagram アカウントに 10,000 人のフォロワーがいたとします。でも、このフォロワーがあなたに対して全く興味がなく、関係性の薄いフォロワーだったらどうでしょうか。あなたが商品やサービスを販売しようとしても、全く売れません。

一方、あなたの Instagram にフォロワーが 100 名しかいなかったとしましょう。しかしこの 100 名が全員あなたの大ファンだったらどうでしょうか。あなたが商品やサービスの投稿をしたら、売れる可能性が高いですよね。

少し別の事例でお話ししましょう。私は本業で LINE公式アカウントの配信代行やコンサルティングの事業をしています。

そんな私が会社で YouTube にチャレンジし始めたときの話です。YouTube を始めてから 5 か月目、チャンネル登録者はまだ 750 名ほどでした。一般的に、ユーチューバーと言われる方たちには、10 万人、100 万人超のチャンネル登録者がいます。それに比べると、750 名という数は足元にも及びません。

しかし、私がその月に YouTube 経由で得た収益は 200 万円を超えていました。もちろん、広告収入で稼いでいたわけではありません。

第 3 章で述べたように、終始「ギブの精神」で、相手に喜ばれるコンテンツを惜しみなく提供することで、チャンネル登録者を「濃いファン」にしていき、結果的に自社サービスの売り上げにつなげたのです。

シンプルに考えると、200 万円の売り上げを 750 名のチャンネル登録者で達成したわけですから、1 人あたり 2,667 円の価値があります。**SNS でマーケティングを行うときには、友だち集めを考える前に、「関係性の濃さ」という大前提を考えておく必要があります**。

この本を読んでいる方は、SNS での仕事を始めたばかりである、もしくはこれから起業・独立する場合が多いと思います。この**スタートアップの大事な時期だからこそ、フォロワー数を集めることに躍起になるよりも、フォロワーとの密度を高めることに注力した方がよい**です。

ここまでの話は少し抽象的なので、次節から具体的に解説していきます。

4-2

フォロワー・友だちを「濃いファン」にする3要素

コンテンツ・積極性・キャラクター出し

関係性の薄いフォロワーや友だちよりも、濃いファンになったフォロワーや友だちがいたほうが、売り上げがたくさん出そうなイメージは、なんとなく前節でつかんでいただけたかと思います。では、フォロワーや友だちを濃いファンにするためにはどのようなことをしたらよいのでしょうか。私はズバリ、以下の3つのポイントを掲げます。

①コンテンツを惜しみなくギブする（提供する）こと
②まずは自分から積極的に絡みにいくこと
③あなた自身のキャラクターを全開にすること

第2章や第3章で解説したことも復習しながら、順に3つのポイントを見ていきましょう。

①コンテンツを惜しみなくギブする（提供する）こと

第3章では、私が英会話スクールを運営していた時代に行った、「無料体験レッスンに来てもらうまでに惜しみなくギブすること」で成約率を高めた方法をお伝えしました。それと同じようなことを、普段のSNS投稿や配信の中でもしていきます。

私がLINE公式アカウントのプロであるように、あなた自身も何らかのプロであると思います。例えば、あなたが小顔になるためのエステテ

図4-1 筆者が運営するYouTube「LINE公式アカウントチャンネル」。

ィシャンであれば、その道のプロしか知り得ない、小顔になるためのとっておきのコンテンツを惜しみなく提供してください。ここで出し惜しみをしていたり、そもそもペラペラなコンテンツの情報を出したりしていては意味がありません。**必ず、濃い情報を惜しみなくギブしてください**。

私がYouTubeを始めたばかりの頃の話に戻ります。図4-1は私が運営するYouTubeの「LINE公式アカウントチャンネル」です（よろしければぜひご覧ください）。

このYouTubeチャンネルは、前節で述べたように、開始後5か月、チャンネル登録者750名にもかかわらず、収益は単月で200万円以上を生み出していました。その理由は、ニッチではあるけれど、かなり濃いコンテンツを大量に配信していたからです。

このYouTubeチャンネルにアップされている実際の動画サムネイル（次ページ図4-2）をご覧ください。

サムネイルに表示されている通り、1時間半近い動画です。この動画では、これまで私が100社以上のLINE公式アカウント配信代行・コンサルティングで培ったことを、全てノウハウとして惜しみなく提供しています。

図4-2　YouTube 動画で LINE公式アカウントのノウハウを完全公開しています。

YouTube にあがっている動画は、長くても 10 ～ 20 分であることが多いです。「本当に1時間半も見てくれるの？」と思う方もいるでしょう。私もこの動画を出すとき、妻に「1 時間以上の動画なんて絶対に見られないからやめたほうがいい」と言われました（笑）。

しかし、ここでの目的は、圧倒的な情報量でファンを増やすこと。「見てくれなくてもいいや！」くらいの勢いで試しにやってみたところ、この作戦がハマりました。

その証拠に、この動画を経由して YouTube の概要欄から LINE公式アカウントに登録してもらうケースも多く、図 4-3 のようなメッセージをいただくことが多発したのです。

そして LINE公式アカウントから、こうしたメッセージとともに、コンサルティングや配信代行の依頼が続々と入ったのです。もちろん、情

図4-3　YouTube で知ってもらい、問い合わせを受けるケースは多いです。

報量だけでなく、LINE公式アカウントから依頼メッセージをもらえるような導線をしっかり構築しておくなどの工夫はしましたが、圧倒的な情報量をギブすることの大切さを身にしみて感じました。

先ほどの動画をはじめとして、他のチャンネルでは絶対に語られないような超ニッチな情報を語っています。私の動画をご覧いただくとわかるのですが、大半の動画の「映像的なクオリティー」はそれほど高くありません。私がパソコン上で画面を見せながら、シンプルに解説しているものがほとんどです。

つまり、**映像的なクオリティーではなく、コンテンツ的なクオリティーを意識するとよい**のです。

②まずは自分から積極的に絡みにいくこと

もしあなたがSNSで仕事をし始めて間もない場合は、芸能人や有名人でない限り、あなたのことを知っている人はほとんどいません。そのため、放っておいても勝手にフォロワーが増えたり、友だち数が増えたりすることはないでしょう。

だからこそ、まずは自分から積極的に絡みにいくことが大切です。

自分から絡みにいくことをもう少し掘り下げていきましょう。例えば、私のようにLINE公式アカウントのコンサルティングを生業としている場合、ターゲットの１つとして飲食店や美容室があります。

Instagramであればそれらの店のアカウントをフォローして、積極的にいいねやコメントをします。あなたがいいねやコメントをすれば、それは当然、相手にも伝わります。相手があなたのInstagramのプロフィールや投稿内容を見て、コンテンツが整っていたら、フォロー返しをしてくれることもあるでしょう（この意味で、ポイント①で見たようにコンテンツは重要です）。

そして、このとき大切になってくるのが、第3章で具体的に見た、**SNS上での1対1のコミュニケーション能力**です。第3章では、LINE公式アカウントから問い合わせがあった相手と、メッセージでやりとりし、親密になって、成約率を上げる方法を学びました。これを今回のフォロワー集めや友だち集めにも転用するのです。

具体的に言うと、相手に「私の投稿をしっかり見てくれたんだな！」と思わせるようなコメントをすることが大切です。

次ページ図4-4を見てください。この投稿は、近所の飲食店のInstagram投稿です。こうした地域の個人飲食店は、LINE公式アカウントの導入を検討しやすい、いわゆる私のペルソナになります（こちらのお店は私が純粋に「好き」なので、「仕事にしよう！」と思っていいね＆コメントをしているわけではありません（笑））。これに対して、私は図4-4のようにいいね＆コメントをしています。

いかがでしょうか。「この投稿を見た感」と「私の人間性が表れているキャラ感」が出ているかと思います。

ただ単に「美味しそうですね！　今度行ってみたいと思います」という機械的なコメントでは意味がありません。ついつい、このコメントをした人のことを知りたくなってしまうような**人間味のあるコメント**をしましょう。すると、**相手は必ずあなたのプロフィールを見にきてくれます。そしてフォローをしてくれる、という流れ**になります。

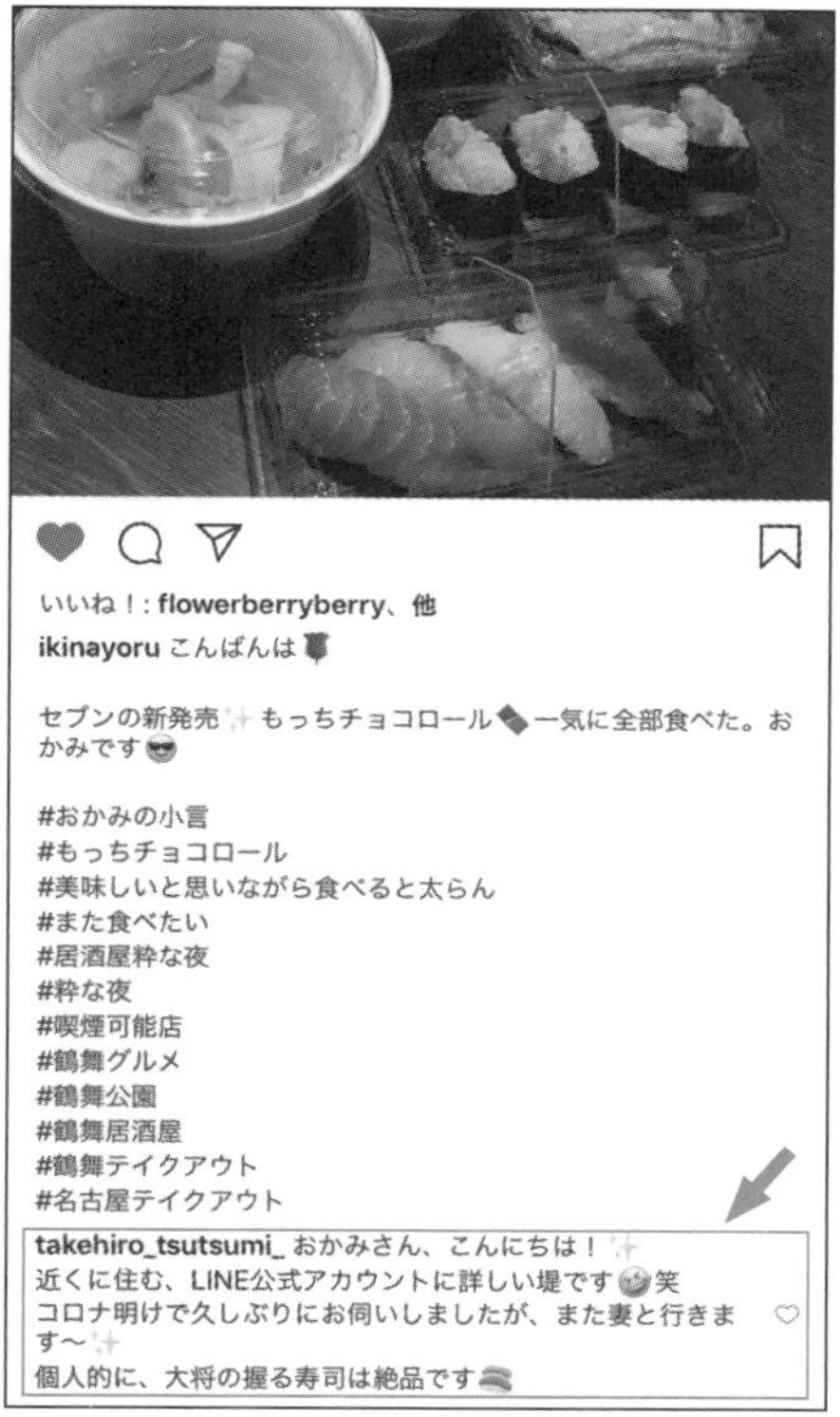
いいね！: flowerberryberry、他
ikinayoru こんばんは
セブンの新発売 もっちチョコロール 一気に全部食べた。おかみです
#おかみの小言
#もっちチョコロール
#美味しいと思いながら食べると太らん
#また食べたい
#居酒屋粋な夜
#粋な夜
#喫煙可能店
#鶴舞グルメ
#鶴舞公園
#鶴舞居酒屋
#鶴舞テイクアウト
#名古屋テイクアウト
takehiro_tsutsumi_ おかみさん、こんにちは！
近くに住む、LINE公式アカウントに詳しい堤です 笑
コロナ明けで久しぶりにお伺いしましたが、また妻と行きます〜
個人的に、大将の握る寿司は絶品です

図4-4　コメント１つでも、あなたの人間性を伝えたいですね。

もちろん、ここで私は適当に飲食店をピックアップしたわけではありません。頻繁に行く飲食店・家の近くにある飲食店をピックアップするようにしています。適当にコメントしまくるのではなく、少しでもあなたの商品やサービスを購入してくれそうなアカウントから狙っていきましょう。

複数回のコメントやストーリーズのタグ付けで親密度UP

フォロワー・友だち集めでは親密度が鍵となります。この親密度を高めるためには、1度ではなく、2～3度コメントをするとよいでしょう。例えば、**Instagramでは、コメントをすることによって、このアカウントとこのアカウントは親密度が高いと判断され、相手のInstagramのフィードやストーリーズにあなたの投稿が出やすくなる**からです。

一般的には、少なくとも200名、300名をフォローしているのはもはや普通でしょう。ですが、投稿やストーリーズにあらわれるアカウントは限られています。これはランダムに出るわけではなく、InstagramのAIが親密度の高いものを出すようにしているのです。

この意味で、ストーリーズでタグ付けすることもかなり有効です。私の知人で管理栄養士をされている星野春香さんという方がいます。彼女は、日常で関わっている人を、積極的に自分のストーリーズにタグ付けしています（次ページ図 4-5）。

前述のように、ストーリーズにタグ付けすると、親密度判定が高くなり、なおかつ相手にとっても嬉しいですよね。この2つの意味で効果があり、星野さんはフォロー数が400人未満であるのに対し、フォロワー数が1.4万人となっています。

コンテンツのよさはもちろんですが、星野さんは積極的に自分から絡みにいったことで、多くのフォロワーを獲得しています。

「どんなアカウントをストーリーズにタグ付けしたらいいの？」と思われる方もいるかもしれません。基本的には、あなたと共通点がある人や、リアルで絡んだことのある人がよいでしょう。例えば、私の場合だった

図4-5　フォロワーを増やしたいなら、自分から絡みにいくことが大事です。

ら、先日行った飲食店のアカウントをタグ付けしてもいいですし、共通の趣味を持つ方が経営している美容院などでもいいですね。もちろんタグ付けするアカウントは、あなたのペルソナである必要はあります。

人間の心理には「返報性の法則」というものがあり、タグ付けしてくれたら、タグ付けし返したくなります。コメントしてくれたら、コメントし返したくなります。さらには相互に関わることで、お互いの親密度をあげることもできます。ここではInstagramを軸にお話ししましたが、どの SNS でも、相手との関わり方を意識して運用すると、結果的にフォロワー数増・友だち数増につながり、あなたの商品やサービスが売れる可能性が高まります。

③あなた自身のキャラクターを全開にすること

濃いファンを作るための3つの要素、最後はあなた自身のキャラを出すことです。モノが溢れる現代社会では「何を買うか」ではなく「誰から買うか」が重要になっています。

以前、Twitterで話題になったのが「タニタの中の人」です（図4-6）。株式会社タニタは、公式アカウントで全社的なブランディング投稿をするのではなく、タニタで働いている「個人」を前面に出して投稿しています。これがTwitterのみならず様々なメディアで話題を呼び、この件でタニタを知った若い人も多いと聞きます。

大企業でさえも、その中で働いている「個人」を出す時代です。私たち**中小企業や個人事業主であれば、より一層こうした「個」のブランディングに注力する必要がある**でしょう。

私のクライアントにも「個」のブランディングで成功している企業があります。山形県にある株式会社ユナイテッドは、自社で「婚姻届製作所」というECサイトをもっています（図4-7）。

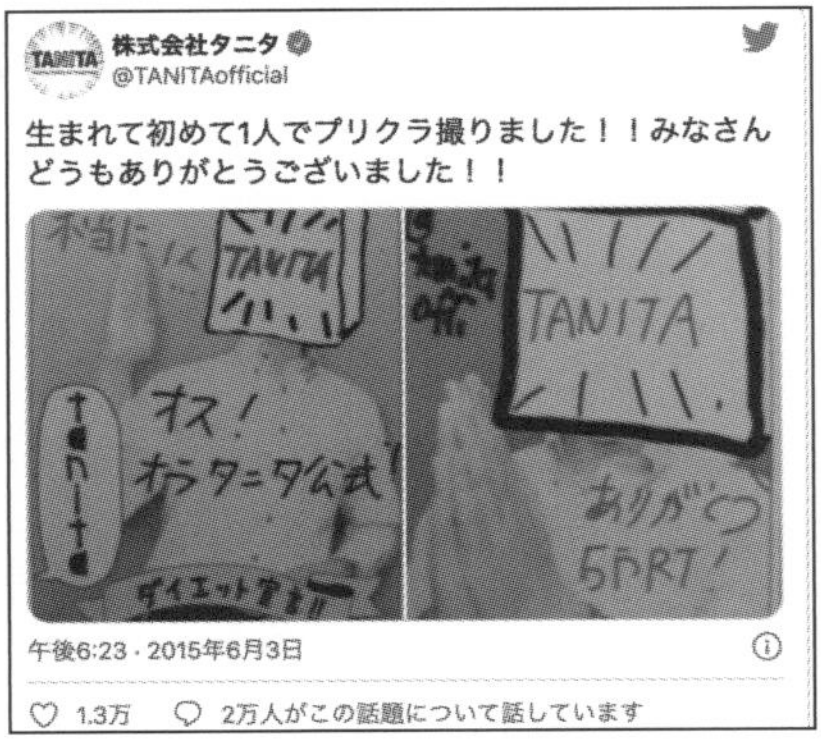

図4-6 株式会社タニタの公式Twitterより。キャラ全開の投稿をしています。

図4-7 婚姻届製作所は可愛らしい婚姻届を販売するECサイトです。

婚姻届製作所のLINE公式アカウントでは、ECサイトの責任者をしている下田さんが前面にキャラを出して登場しています。

図4-8はある日のLINE公式アカウントでの配信です。責任者の下田さん自らが漫画のキャラクターとして登場しています。ECサイトだからといって、商品の宣伝のための配信ばかりではなく、「人」の部分を出した方がかえって売り上げが伸びることがあります。

図4-8 話題になった「100日後に死ぬワニ」をモチーフとした漫画配信をしています。

「このアカウント面白い！」
「この下田さんっていう人、気になるなあ」

そのように思ってもらえるような投稿・配信をしましょう。事実、婚姻届製作所のLINE公式アカウントの友だち数は毎月1,000名近い勢いで増え、現在ではすでに5桁に達しています。婚姻届自体の売り上げも好調で、月間にこれまた1,000組以上購入されるヒット商品となっています。

こうしたキャラ出しをした配信については、第5章でも詳しく見ていきますが、要は、売り上げを出すにも、フォロワー・友だちを集めるにも、「個」を出していくことが大切だということです。

4-3

「集まる」仕組みを考えると、友だち数は自然に増えていく

初心者ならばLINE公式アカウントが最適

ここまではフォロワー・友だちとの「関係性の濃さ」について言及してきました。ここからは**LINE公式アカウントの友だち数の増やし方**についてお伝えしていきます。

Instagram のフォロワーや YouTube のチャンネル登録者ではない理由は、すでに第 1 章や第 2 章で説明していますのでここでは割愛しますが、ポイントをおさらいすると以下の通りです。

① LINE公式アカウントの友だち数の価値は他の SNS に比べて高い
② LINE公式アカウントの友だちは初心者でも集めやすい

それではまず、LINE公式アカウントの友だち数を増やすための本質部分を解説していきます。

「集める」のではなく「集まる」仕組みを考える

LINE公式アカウントの友だち集めといっても、本当に様々な手法があります。しかし、その根幹である「集まる」仕組みを考えることを理解しておけば、それほど難しい話ではありません。ここではまず例を見てみましょう。

（講師や士業など）自分のスキルやノウハウを売る仕事である場合、店

舗を構えているわけでもなければ、1日にそれほど多くの人と会うわけでもありません。友だち集めには不利な状況です。

そのような場合、友だちはどのようにして集めたらよいのでしょうか。


私の場合は、LINE公式アカウントやWebマーケティングについての研修やセミナーをする機会があります。今でこそ、何十名、ときには何百名の前で講演することもありますが、最初は5人、10人といった少人数相手が多くありました。

ところがチリも積もれば山となります。私はセミナー申し込み者を必ずLINE公式アカウントの登録者にするべく、参加申し込みをそもそもLINE公式アカウントからしてもらうようにしていました。


他社主催のセミナーやストアカ（図4-9）など外部の媒体を使ってセミナーに来てもらうケースもありました。この場合は、自分のLINE公式アカウント経由で申し込んでもらうことができません。

そこで、セミナー会場では配布するプリントにQRコードをつけて、「本日セミナーで使うので、今のうちに登録しておいてください！」とアナウンスするのです。

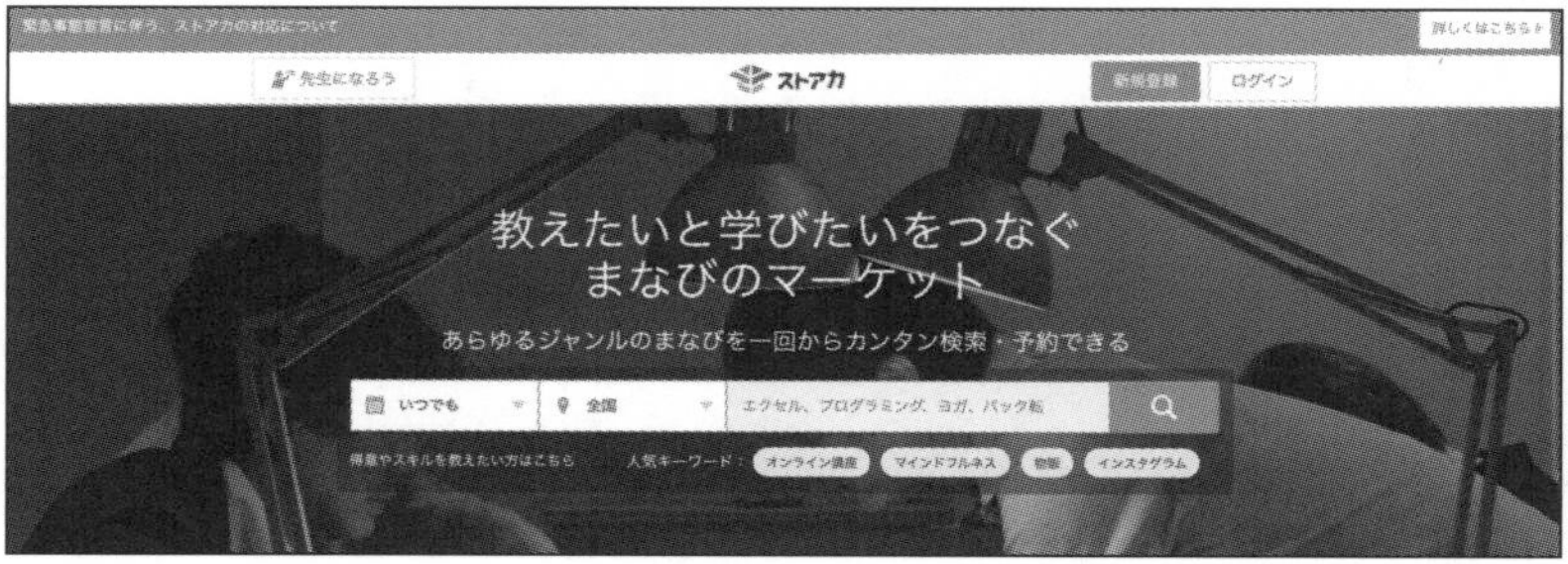

図4-9　ストアカは自分のスキルを活かしたセミナー等の告知を掲載できるポータルサイトの一つです。

図4-10 こちらから「堤ブサイク」と入力すると、面白いことが起きます（販売や勧誘目的ではありません）。

そして、実際にLINE公式アカウントをセミナー中に利用するポイントを複数作ったのです。例えば、図4-10のQRコードを読み取って「堤ブサイク」とメッセージ入力してみてください。

私のブサイクな画像が送られてきたかと思います。これをセミナー冒頭の自己紹介と紐づけて、「こんな時代もありました」とアナウンスしていたのです。

他にも、セミナー終了時にLINE公式アカウントから「資料」や「PDF」とメッセージを送ってもらってセミナー時に使った資料を渡すなど、**LINE公式アカウントを登録すべき理由をあらゆるポイントで作っていきました。**

これで、例えば研修などの講師をしている人やセミナー登壇機会が多い人は、参加者数＝LINE公式アカウントの友だち数になります。私の知人でも、LINE公式アカウント以外のSNSは一切やっていないのに、この仕組みを使い、年間で1,000名以上の友だちを集めている人もいるくらいです。

しかし、こうしたセミナーを開催しても、そもそも5人すら集めることもできないし、セミナーを開催するような業種でない場合もあります。そうした場合はどうしたらよいのでしょうか。

4-4

個人起業家だからできるリアルでの「友だち集め」

LINE公式アカウントの友だち集めは誰でもできる

私が起業して間もない頃の話です。独立したての頃は、まず自分自身を知ってもらうことが大切、ということで、異業種交流会に行くことがありました。私はあまり外に交流しに行くタイプではありませんが、独立1年目にある「実験」を行ったのです。

異業種交流会といっても、大きな交流会から小さな交流会まで様々ありましたが、私はこの異業種交流会で何人のLINE公式アカウント登録者を増やせるか「実験」を行いました。私の名刺の裏にLINE公式アカウント登録のQRコードがついていることは第2章でお伝えしました。私はこの名刺を100人と交換しました。さて、どのくらいの人が登録してくれたと思いますか。

結論から言うと、なんと**ちょうど半分にあたる50人が登録してくれた**のです。

もちろん、ただ普通に名刺を渡すだけでは登録してくれません。名刺交換をする際には自分の肩書きを述べるかと思いますが、その際、「堤と申します。Web制作やLINE公式アカウント制作をしています」と言うと、お世辞ではあろうものの、結構な確率で、「LINE公式アカウント、興味あるんだよね」と言ってくれます。

「LINE公式アカウントって何？」と言われるケースもあります。しかし、どちらの場合でも私が答えることは同じです。

「（名刺裏を見せて）よかったら、こちらのQRコードを読み込んでみてください！」

そして、相手が興味があるというケースなら、LINE公式アカウントについての登録特典があることを補足します。一方、「LINE公式アカウントって何？」と言われた場合は、「こちらを見てもらうとLINE公式アカウントの凄さがわかるのでぜひ！」と補足します。

要は、何を言われた場合でも、LINE公式アカウントに登録してもらえるようなシミュレーションをしておくのです（笑）。

そして、**名刺交換が終わって帰宅してからもダメ押しのメッセージを送ります**。名刺交換すると、大抵の場合、相手の名刺にメールアドレスが記載されています。

そのメールアドレスに、お礼のメッセージを送るとともに、「よろしければLINE公式アカウントに登録してください」というメッセージを添えていました。

もちろん、まずお礼ありきで、かつLINE公式アカウントに登録するメリットをお一人お一人メッセージを変えて送っていました。労力はかかりましたが、ここまでやってみて、1人しか登録されなかった、ということは到底あり得ません。

あなたもぜひ「実験」してみてください。

マルシェやイベント出店も有効

起業や副業の中には、アクセサリー雑貨など、ご自身の作品を物販する場合もあるでしょう。そして、こうした商品を購入してもらうために、マルシェやイベントに出店することも少なくないと思います。

大人数が訪れるマルシェやイベントは絶好のチャンスです。そして、ここでも「集まる仕組み」を考えます。もっと正確に言えば、集まった人に登録してもらう仕組みです。

例えば、出店ブースを訪れた人が、あなたの制作したアクセサリーを見ているとします。多くの場合、購入に至るのはそれほど簡単なことではありません。しかし、ここでLINE公式アカウント登録を促すのです。

まずはちょっとしたリーフレットや店先の看板に、「その場で当たる！お好きなアクセサリー１点プレゼント！」と記載します。

そして、QR コードを読み込んでLINE公式アカウントに登録してもらったら、あいさつメッセージで「抽選付きクーポン」が出るようにします（**あいさつメッセージや抽選付きクーポンは第２章で解説しています**。まだ見ていない方はそちらをご参照ください）。

当たったらその場でアクセサリーをプレゼントできますし、外れても200 円引きなどにしてあげればお客様にも喜ばれます。

要は、LINE公式アカウントに登録してもらえればなんでも OK です。あなた自身の状況に合わせて、どんな登録のきっかけを作れるか考えてみてください。

登録者になれば、配信をしていくことで違う出店イベントに来てくれることがあるかもしれませんし、そもそもあなたの商品についての配信ならネットで売れるかもしれません。本来ならば、たまたま**イベントでふらっと立ち寄っただけになるところを、LINE公式アカウントに登録**

してもらうことで、その後もつながり続けることができます。

一般的に、LINE公式アカウントの登録者のことを〈リスト〉と言います。このリストは本当に価値があります。仮に抽選付きクーポンで当たり、その場では一見マイナスに見えたとしても、のちのち配信することで商品が売れれば、そのマイナスを取り戻すことができます。配信のたびに買ってもらえれば、どんどんプラスになります。配信については第５章で具体的に見ていきますが、このリストが多ければ多いほど、配信したときの売り上げが増やせます。

私の場合は、１リスト当たり33,000円ほどの価値があることがわかっています。あえて簡略化して説明すると、10人が友だち追加してくれて、そのうち１人が330,000円の商品を購入してくれれば、

330,000円÷10人＝33,000円／人

となります。少し発展的なことになりますが、１リストあたりの価値をこのようにイメージできると、LINE公式アカウントの友だち登録をしてもらうのに、どれだけプレゼントや割引ができるかが予想しやすくなります。ざっくりでもいいので、ぜひ最初に「1リストの価値」を考えてみてください。

4-5

友だち数を増やすには「登録率」を徹底考察せよ

「登録率」こそ初期のポイント

第4章の最後は、**登録率の大切さと、各SNS上で登録率を高めるポイント**についてざっと話していきます。

友だち登録を増やそうと思ったら、どうやって多くの人に会うか、多くの人の目に触れるかをどうしても考えがちです。しかし、100人の目に触れることができても、そこで1%しか登録しようと思わなければ、登録者はたったの1人です。逆に20人の目にしか触れなくても、50%の人が登録しようと思ったら、登録者は10人です。

100人×登録率1% ＝登録者1人
20人×登録率50% ＝登録者10人

これは少々極端な例ですが、私が伝えたいのは、登録率を上げるために、とにかく思考を深くしようということです。

本章のまとめとして、私が実験して試した**各SNSで登録率を上げる施策**を簡単に書いていきます。

起業当初は無料で使えるSNSを使わない手はありません。ぜひあなたに合ったSNSを使い、登録者を集めていきましょう。

YouTubeの場合

YouTubeの場合は、一般的に次のことがポイントになると思います。

①概要欄にLINE公式アカウントの登録URLをはる（登録したくなるような文章とともに）
②動画内（冒頭や最後）でLINE公式アカウントに登録するメリットを伝える

上記はおそらく一般的なユーチューバーもやっているでしょう。私はさらに、動画内で「登録する仕組み」を作ることを提唱しています。

例えば、図4-11の動画内では、「私のLINE公式アカウントの中で配信のイメージ体験ができるから登録してね」というポイントが5回以上も出てきます。さらに動画の最後では、LINE公式アカウントに登録して「PDF」とメッセージを送ると、動画で使われた100ページほどのPDFがプレゼントされる、という仕組みも作っています。

この動画の視聴回数もそこそこあるので、1日あたり5人前後はこの動画だけでLINE公式アカウント登録があります。

#121
LINE公式アカウントチャンネル
LINE公式アカウント
完全攻略
動画講義
100社以上の
1:25:30
#121. LINE公式アカウント動画セミナー【日本初のLINE...
1.3万 回視聴・2 週間前

図4-11 YouTubeの動画内でLINE公式アカウントを登録してもらう「仕組み」を作る。

Instagramの場合

Instagramの場合は以下の2点です。

①投稿やストーリーズで自分のプロフィールへ誘導
②プロフィールにLINE公式アカウントの登録メッセージを掲載

図4-12のように、投稿やストーリーズに自分をタグ付けすることで、これを見た方に自分のプロフィールへ飛んでもらうようにします。その飛んだ先のプロフィールにLINE公式アカウントの登録メッセージを記載し、登録してもらう流れです。

さらに言えば、Instagramの場合も動画、すなわちインスタライブがかなり有効です。一般的に、投稿やストーリーズだけでLINE公式アカウントの友だちを集めるのは少々厳しいのが現状です。

しかし、インスタライブをすることによって、

・あなたのキャラが伝わる
・ライブ内でLINE公式アカウント登録を促せる

というメリットが出てきます。さらにライブ内で、「LINE公式アカウントから○○というキーワードを送ってもらったら、△△をプレゼントします！」とアナウンスすると、結構な確率でLINE公式アカウント登録がされることがあります。

例えば、本章でご紹介した星野春香さんも、1.4万人のフォロワーに

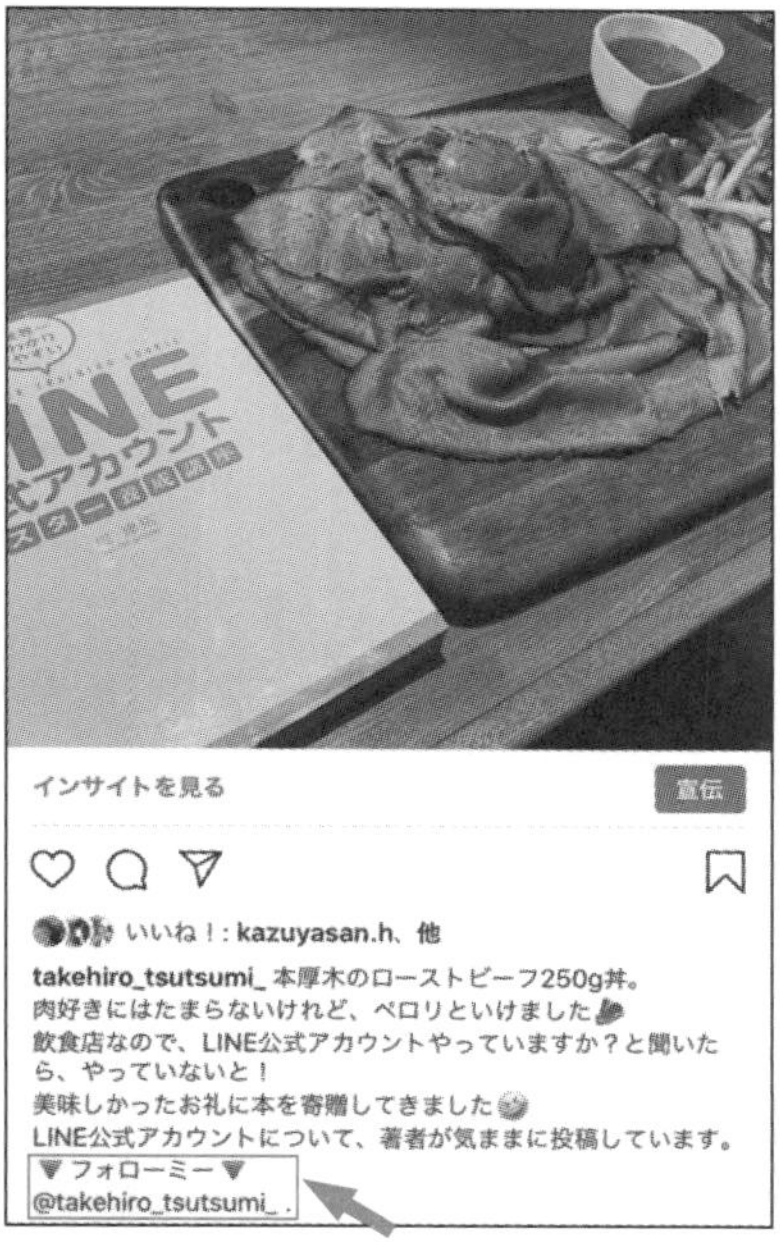
インサイトを見る
宣伝
いいね！: kazuyasan.h、他
takehiro_tsutsumi_ 本厚木のローストビーフ250g丼。
肉好きにはたまらないけれど、ペロリといけました
飲食店なので、LINE公式アカウントやっていますか？と聞いたら、やっていないと！
美味しかったお礼に本を寄贈してきました
LINE公式アカウントについて、著者が気ままに投稿しています。
▼フォローミー▼
@takehiro_tsutsumi_ .

図4-12 投稿自体に「@takehiro_tsutsumi_」と自分をタグ付けしています。

対し、LINE公式アカウントの登録者は8,500人です。「インスタライブプレゼント作戦」を使い、実にフォロワーの60%以上をLINE公式アカウントの登録者にもしているのです。

Twitterの場合

Twitterも Instagramと同じ、フォロー&フォロワー文化があります。LINE公式アカウント登録者を集めたいと思ったら、まずは積極的にこちらから絡みにいくことです。

そして、Twitterのプロフィールや固定ツイートを見てもらい、LINE公式アカウントに登録してもらうというInstagramと同じような

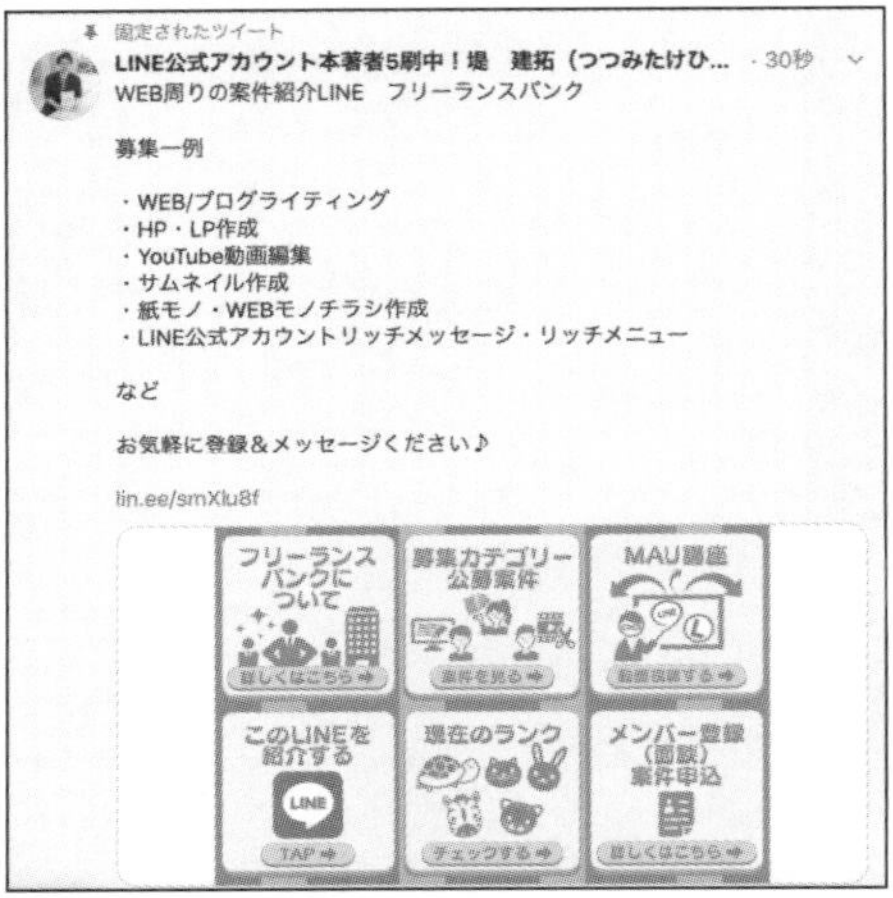

図4-13 こちらが固定ツイートです。一番上に固定表示されるので、こちらを有効活用しましょう。

流れになります。

Twitterのアクティブユーザーは Web 関連のフリーランスが多いという特徴があります。そのため、あえて私の固定ツイートには、「フリーランスが Web 関連のお仕事を探し受注できる窓口」として開設した専用の LINE公式アカウントの宣伝をしています（図 4-13）。

会社の LINE公式アカウントでもよいのですが、**Twitter の特性を考えて、より登録率が高くなるだろうというアカウントに変更**しているのです。もちろん、必ずしもアカウントを変更する必要はなく、記載する文章を Twitter の特性に合わせた形に変えるだけでも有効です。どのようなフォロワーが自分の Twitter アカウントに多いのか調べてみるのも得策と言えます。

ブログの場合

最後にブログです。私は3年以上前からブログに取り組んでいて、すでに本書執筆の段階で260本の記事を書きました。そして今では1日に約6名前後の方が、ブログ経由で私のLINE公式アカウントに登録してくれています。

ブログの場合のポイントは、一般的にCTAと呼ばれているものを設置することです。第3章でも触れたように、CTAとはCall to Actionの略で、日本語では「行動喚起」と訳されます。ブログでのCTAとはどのようなものか、説明しましょう。

例えば、図4-14のブログ記事をざっと最後まで読み進めていくと、ブログ記事の最後に、次ページ図4-15のような登録特典画像が表示されます。

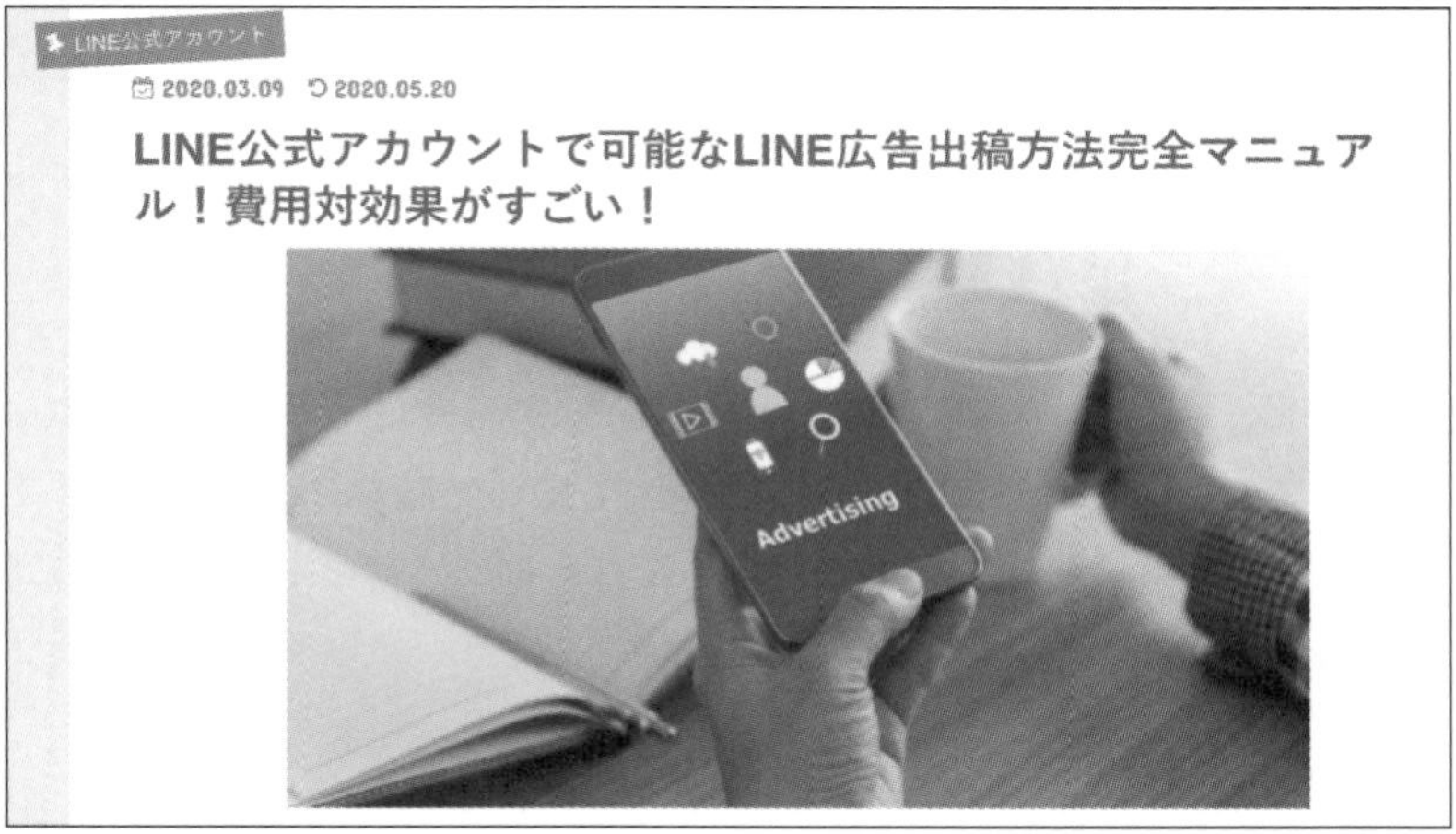

図4-14 私が執筆した、LINE公式アカウントについてのとあるブログ記事です。

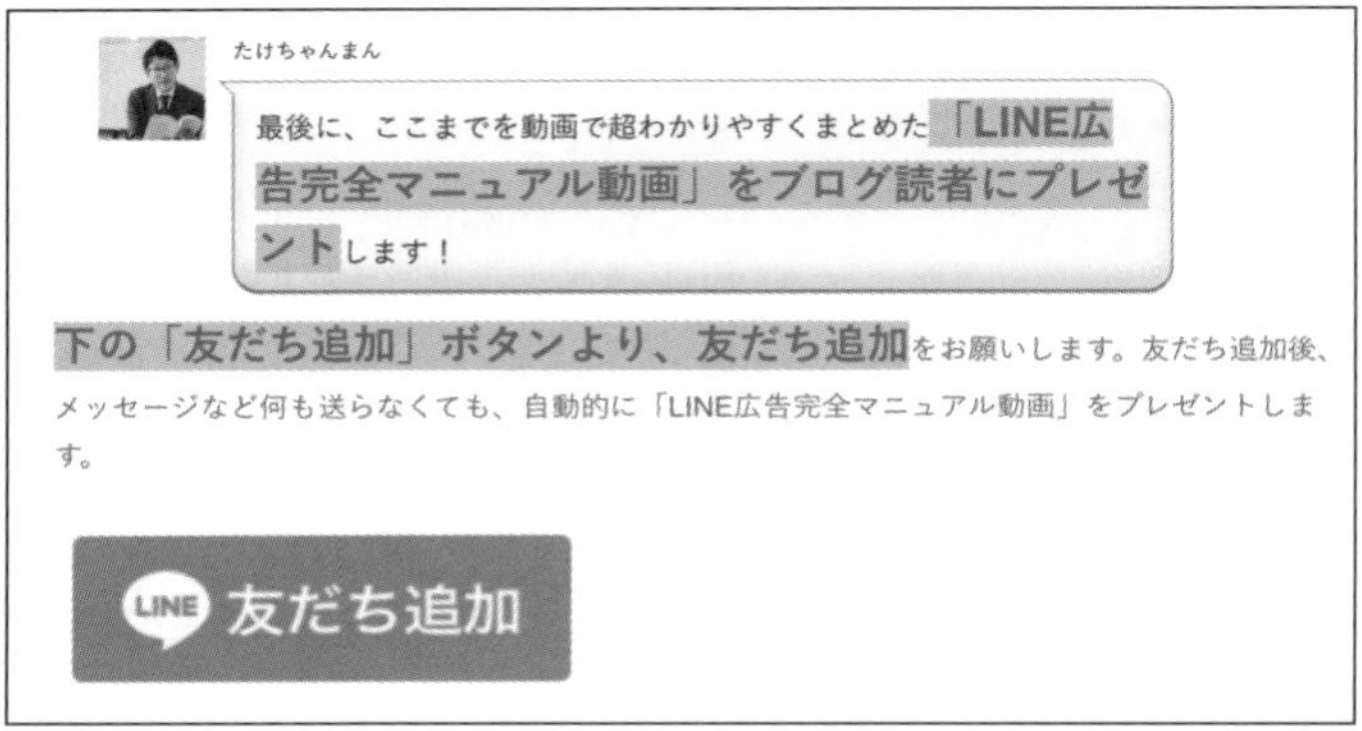
たけちゃんまん
最後に、ここまでを動画で超わかりやすくまとめた「LINE広告完全マニュアル動画」をブログ読者にプレゼントします！
下の「友だち追加」ボタンより、友だち追加をお願いします。友だち追加後、メッセージなど何も送らなくても、自動的に「LINE広告完全マニュアル動画」をプレゼントします。
LINE 友だち追加

図4-15 特典を出すことで、LINE公式アカウントの友だち追加につながります。

つまり、ブログを最後まで読んでくれた方に「こういう特典があるからぜひLINE公式アカウントに登録してね！」と登録を促しています。ブログを最後まで読んでくれたということは、あなたのファンになってくれている可能性もあります。これはアメブロでもWordPressでも、どのブログでも実施できることなので、ぜひ試してみてください。

また、少し上級の技となりますが、LINE公式アカウントの機能を活かして、ブログの記事ごとにCTAを変えることも有効です。

例えば、もし私が「LINE公式アカウントの運用方法」について書いたブログなら、それに関連する特典の方が、登録率は上がりそうです。逆に「ブログのアクセスアップ」について書いた記事に、LINE公式アカウント関連の特典をつけても、響かないかもしれません。ブログのアクセスアップには、ブログ関連の特典をつけた方が登録率は上がりそうな気がしませんか。

これを私はいくつかの記事で実践しています。特に自分のブログの中でアクセスの多い上位10記事などを調べて、その記事に合わせた登録特典をつけることで、登録率を向上させています。

これを全ての記事に対して行うのはかなり骨が折れるので、最初からやることはおすすめしませんが、登録率を上げようとする考え方は常に持ち合わせておきましょう。

第４章をまとめます。第４章では、大きく分けて以下のポイントをお伝えしてきました。

①フォロワー・友だちの「濃さ」が重要
②「集める」のではなく「集まる」仕組みが重要
③登録率を上げる施策を考えることが重要

いずれもテクニック論ではなく、本質的な部分かと思います。この３点を特に意識して、フォロワーや友だち集めを実践してみてください。

さて、ここまででSNSの全体像を理解し、LINE公式アカウントの重要性、SNS上のコミュニケーション、そして友だち数を増やす施策を学んできました。いよいよ次の章では、売り上げ増に最もつながるLINE公式アカウントの「配信」に注目してみたいと思います。

第5章

売り上げを
最大化する
「配信の法則」

5-1

LINE公式アカウントの配信は「月たったの4回」でOK

想いを込めた配信を4回作成する

これまで、LINE公式アカウントの開設に始まり、SNSを駆使した顧客とのコミュニケーションがどうあるべきか、友だち（＝見込み顧客）のリストをどう増やしていけばよいかについて、順を追って見てきました。さあ、いよいよ配信です。どんなにアカウントを整備しても、どんなに友だちを集めても、配信をしなければあなたの商品は売れません。

さて、配信をするにあたって、覚えておきたいことがあります。それは、**LINE公式アカウントの配信は1か月にたった4回でよい**ということです。

これはLINE公式アカウントの特性によるところが大きいです。LINE公式アカウントは、あまりに頻繁に配信しすぎると、簡単にブロックされてしまいます。私の肌感覚ですが、一般的なブロック率の平均は30%前後です。もちろん個人や法人、使用年数などにもよりますが、1,000人友だちがいたら、300人にはブロックされてしまうのです。だからこそ、配信は無駄打ちせず、月4回、丹精を込めて配信すればOKです。

本書では、最小の労力で最大の成果をあげることをテーマにしてきました。良くも悪くもLINE公式アカウントでの目安となる配信は月4回です。労力をかけずに配信で成果をあげる、その具体的な方法を第5章では解説していきたいと思います。

5-2

売り上げを最大化する「公式」がある

LINE公式アカウントの重要3要素

月4回の配信で最大限、効果を発揮するための大前提をお話しします。まず、私が定義したLINE公式アカウントで売り上げを最大化するための公式をシェアしたいと思います。

売り上げ＝友だち数×反応率×単価

売り上げを増やす要素として、この他にも大切なものはもちろんあります。しかし、一般的に考えたときに大切な要素を3つあげるとしたら、私は上記のように答えます。

そして本章では、この中の「反応率」に主眼を置いていきます。反応率とは、第2章で説明した「クリック率」や「商品やサービスの申し込み率」などを意味しています。

LINE公式アカウントで成果をあげようとするならば、実はこの「反応率」を上げることが最も大切です。

例えば、「売り上げを2倍にするために、今いる1,000人の友だちを2倍の2,000人にしなさい」と言われたら、それはかなり難しいですよね。しかし、成果のあがる配信方法を学ぶことで、例えば商品の購入を5個→10個の2倍にすることは、実はそれほど難しくないのです。

つまり、売り上げを増やすための数ある要素の中で、最も手をつけやすいのが反応率を上げることなのです。繰り返し出てくる本書のテーマ「最小の労力で最大の成果をあげる」に基づくと、そのためにしっかり考察すべきは配信方法です。

配信方法を工夫し、反応率を上げることの大切さがわかったところで、この反応率をさらに細分化してみます。

反応率＝機能×企画

反応率を上げていくには、何が大事なのでしょうか。

それは、**LINE公式アカウントにどんな機能があり、その機能をもとに自分ではどんな企画が考えられるか**を思考することです。ここでの「機能」とは、LINE公式アカウントで可能な配信方法と考えてよいでしょう。

次節では、数あるLINE公式アカウントの機能やメニューの中から、まず取り組むべき、おすすめの機能を紹介します。

5-3 1,000人の悩みに答えてわかった配信のコツ

カードタイプメッセージで「反応率」UP

私自身、2019年にLINE公式アカウントに関する著書を出版してから、ありがたいことに多くのLINE公式アカウントに関する質問をいただくようになりました。その数は1,000人を超えていると思います。中でも、配信に関するお悩み・質問はほとんど以下の3つに集約されます。

- **誰でも簡単に送れるテキスト以外の配信について知りたい**
- **効果的な読まれる配信について知りたい**
- **他と差別化できる配信について知りたい**

この3つを網羅する配信手段がズバリあります。それは「カードタイプメッセージ」（図5-1）です。

図5-1 こちらがカードタイプメッセージです。

図5-2 こちらがリッチメッセージの一例です。

カードタイプメッセージは、カード型の横に連なるタイプの配信です。一見、手の込んだ配信に見えますが、配信方法は実に簡単です。ここで、その簡単さを知っていただくために比較をします。

テキスト以外の一般的な配信には「リッチメッセージ」があります（図5-2）。

これは画像タイプの配信です。当然、画像を制作する必要があります。しかし、デザインのプロでない限り、効果的なデザイン画像を作成するのは簡単ではありません。プロに依頼することもできますが、お金も時間もかかります。

一方で、カードタイプメッセージはどうでしょうか。図 5-1 にあるように、画像＋文章で構成されています。そのため、この画像の部分にイメージ写真を載せ、あとは文章で細かく説明ができるのです。

わざわざデザインのよい画像を制作する必要がありません。その意味で「誰でも簡単に使える配信手段」と言え、実際に作成方法さえ覚えてしまえば、5 分～ 10 分程度で制作できてしまいます。

さらに、カードタイプメッセージは読まれやすく、非常に効果的な配信方法だと言えます。

私もこれまで様々な実験を行ってきました。例えば、通常の「テキスト」、「リッチメッセージ」、「カードタイプメッセージ」のどれが一番読まれやすいか、クリック率を計測したことがあります。

結果は、テキストが圧倒的に読まれる率は少なく、リッチメッセージとカードタイプメッセージの差はほぼありませんでした。テキストよりも、リッチメッセージとカードタイプメッセージのほうが1.5倍くらいクリック率がよかったのです。

なおかつ**カードタイプメッセージは、最大で9枚まで横方向に連ねて配信することができます**。商品やサービスについて載せるもよし、スタッフ紹介をするもよしです。

カードタイプメッセージは2019年10月から始まった配信方法です。まだしっかり使えている事業者は少ないので、カードタイプメッセージを使うだけで、他と差別化することも可能でしょう。

カードタイプメッセージを企画に落とし込む

それでは、「機能」を知ったところで、どんな「企画」に落とし込むか。これが大切です。マーケリンクではカードタイプメッセージを使って、日々様々な配信をしています。

その中でも売り上げUPに非常に貢献したのが、次ページ図5-3の「プレミアム福袋」の配信です。

お正月の時季に合わせて、カードタイプメッセージを駆使し、3種類の福袋を販売しました。結果として、一度の配信で通常配信の10倍以上の売り上げがありました。

図5-3 カードタイプメッセージを使った配信の一例です。

スタッフ紹介をカードタイプメッセージで行ったこともあります。ただ単にスタッフを紹介するのも面白くないと思い、AKB48が「総選挙」で人気投票を行っているのと絡め、MAK（マーケリンク）48と題し、自社に所属しているコンサルタントを紹介しました。カードタイプのリンクを押すと、実際にそのコンサルタントの自己紹介が流れるように設定しました。

このように、カードタイプメッセージの商品紹介、スタッフ紹介1つをとってみても、実に様々な企画が考えられます。あなたはどんな企画にしますか。ぜひアウトプットしてみてください。

＊実際のカードタイプメッセージの制作方法は図 5-4 の QR コードから無料で確認できます。よろしければチェックしてみてください。

図5-4 QR コードを読み込んで、実際に体験してみましょう。

5-4

たった5分で作った文章で集客が2倍になった話

集客したいなら常識を疑え?

手の込んだ配信だけが効果的とは限りません。図 5-5 内の文章をご覧ください。

私が 2019 年 7 月ごろに配信した文章です。この文章、わずか 5 分で考え、実際に配信しました。

こちらは LINE公式アカウントを気軽に始めてもらえるように企画した「ランチ会×セミナー」の募集配信でした。この配信では、当時 800 名くらいの対象者に配信し、31 名からスタンプが返ってきました。そして、配信当日中に 16 名からの参加応募がありました。

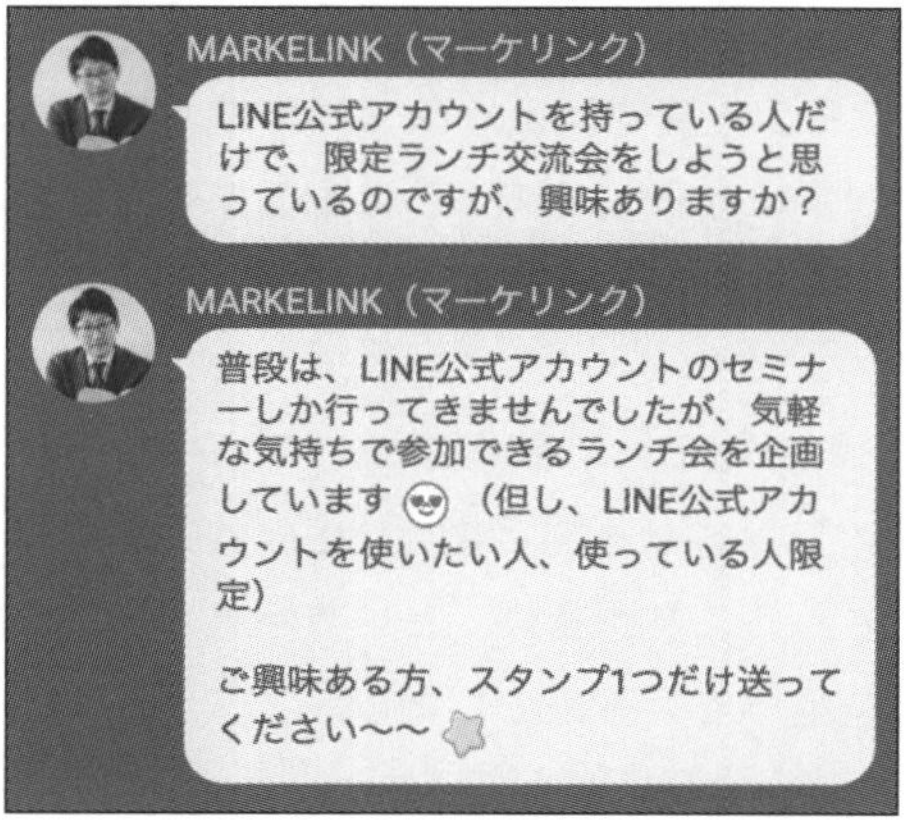

図5-5 あえて短いテキストにしたら、効果が出たものもありました。

ここでの**ポイントは、〈興味がある方はスタンプを送ってくださいね〉と向こうからのアクションを促したこと**です。送られてきたスタンプに対して、一人ひとり個別にチャットを行い、ランチ会にお誘いしました。第４章でご覧いただいたように、チャット作戦で成約率を上げたのです。

文章作成が苦手な人もこれならできます。わずか100～150字程度です。私のクライアントにも何人か実際に試していただきましたが、多くのスタンプを送ってもらい、そこから成約につながったとのことです。

手の込んだ、難しい、人にはできない配信をすることがポイントではありません。いかに最小の労力で最大の効果を出すかがポイントです。

ぜひ集客したい、売り上げUPをしたいものがあれば、まずはこの方法を試してみるのもおすすめです。

「いつ配信すれば反応率が高くなるのか」問題

SNSの投稿・配信で話題になるのが、**「何曜日の何時に投稿・配信するのか最もよいか？」**という問題です。

LINE公式アカウントの配信でもこの質問はよく聞かれます。みんながスマホを見るのは夜の時間帯が多いから、そのころに配信するとよい、という説もありますが、実際はどうなのでしょうか。

私の経験上、「配信がよく読まれる曜日・時間帯はそのアカウントによる」がアンサーです。例えば、ファミリー向けのLINE公式アカウントであれば、土曜日の朝に配信されることが多い、という特性があります。家族で土日に出かけることを狙っているのでしょう。

マーケリンクの場合は、実際に様々な曜日や時間帯で複数、実験を行いました。その結果、日曜日の朝 7:30 に配信したときの効果が非常に高く出ました。例えば、開封率という点で言うと、日曜日の朝 7:30 の配信の平均が 67 ～ 68% 程度でした。対して、平日の 20 時に送った開封率を見ると、62 ～ 63%。

日曜日の朝 7:30 は少々早い気もするのですが、これはやってみないとわかりません。

一般的には、「スマホを見ている時間帯＝よく開封される、クリックされる」と言われています。そうとなると、

・平日朝 7:30 ～ 8:00 ごろ、通勤電車の中でスマホを見ているころに配信
・お昼の休憩時間 12:00 ～ 13:00 に配信
・夜の 20 時以降スマホを見ているリラックスタイムに配信（ただし、遅すぎる時間帯は不可）

この 3 つの時間帯が比較的、見られることが予想できます。ただし、これはあくまでも 1 つの説なので、実際によく読まれるかどうかは、実際に配信して分析してみないとわかりません。

これは LINE公式アカウントの配信時間帯に限ったことではなく、全てのことに当てはまると思います。経験からしかわからないことは非常に多いのです。

5-5

「売り込み配信」はすればするほど売れなくなる

失敗の原因は「売り込みすぎ」にあり

「反応率を上げる配信の法則」も残りわずかになってきました。なかでも本節は、私が声を大にして言いたい項目です。

ところで、LINE公式アカウントの運用目的は何でしょうか。言うまでもなく売り上げUPのためです。しかし、この目的をそのまま解釈して、日頃の配信でひたすら売り込みばかりするケースが後を絶ちません。

例えば、月4回の定期的な配信で、いつも商品やサービスの案内ばかり出していくとします。この場合の友だち登録者の心理を考えてみましょう。

「このアカウントはいつも商品の案内しか流れてこないなあ。もう情報は不要だなあ」——そう思われてしまうことが多々あるのです。

もちろん、相手にとって有意義な商品の案内であれば、アカウントは登録し続けてもらえるでしょう。しかし、**LINE公式アカウントは登録者と密接に関わるツールです。不要だと思ったら、簡単にブロックされてしまいます**。

では、私たち配信側はどうしたらよいのでしょうか。一番シンプルな答えは、「あなたのキャラを配信していく」です。

極端な話、芸能人やタレントが典型です。彼らには非常に多くのファンがいます。そんな人が「コレおすすめだよ！」と言ったら、ファンたちはこぞってその商品を買い求めるでしょう。

これと同じようなことをLINE公式アカウントで行うわけです。

LINE公式アカウントで密接に関わることによって、あなたのファンを増やすのです。ファンが増えれば、どんな商品を紹介しても売れるし、あなたが何か企画を始めようとしたときも協力してくれる人が増えるでしょう。

口で言うのは簡単ですが、**実際にあなたのキャラを出し、友だち登録者をファン化させる**のは、一朝一夕には難しいかもしれません。かと言って、売り込みばかりではブロックが増えるだけです。少しずつでもファンになってもらうための方法を模索していきましょう。

イラストや顔出しで積極的に自分のキャラを配信する

自分のキャラを出していくためには、まずは自分自身が前のめりに、積極的に出ていく必要があります。図5-6をご覧ください。

マーケリンクでは代表の私が積極的に配信に登場しています。図5-6

図5-6 似顔絵を使った配信は効果大です。

では、クリスマスの季節にサンタのコスプレをした私をイラスト化して登場させています。

その他、お正月仕様の私、バレンタインデーの季節にはそれ仕様の私など、実に様々な形で登場させています。「クリスマスだからこの商品買ってね！」と味気ない配信をするよりも、堤サンタがクリスマスの商品を紹介している方が親近感がわきませんか。

イラストを描いてもらうのが難しい場合は、写真でも全く問題ありません。大切なのは自分のキャラを出すことです。

面白いデータもあります。ある通販サイトを営む企業のLINE公式アカウントは、それまでブロック率がおよそ50%でした。この数字は一般的に見ると、少し高いほうです。通販のサイトですから、本質的には「どんなスタッフ（誰）がLINE公式アカウントを運営しているか」は商品やサービスにはあまり関係がありません。しかし、この通販サイトの責任者に積極的にLINE公式アカウントに顔出ししてもらったところ、半年でブロック率は5%も下がりました。

「このアカウントの○○さんが好き！」
「このアカウントのファンです！」

そう言ってもらえるようなアカウントの運営を心がけましょう。きっとブロック率は下がり、売り上げUPも見込めるのではないでしょうか。

キャラ出しの次は企画勝負

あなたのキャラが配信できるようになったら、次は企画です。前ページ図5-6のクリスマス配信の画像を例に説明しましょう。こちらは、サンタに扮した配信者（＝筆者）が、「アンケートに答えてくれたらプレゼントをあげます！」という仕掛けになっています。実は、この配信には 2 つの目的がありました。

①登録者の生の声を聞き、その回答を集めて商品設計に活かしたかった
②アンケート回答後にプレゼントされる割引クーポンをフックに、セミナー参加者数を増やしたかった

この結果、1,510 名に配信し、208 名が配信をクリック、合計で 120 名の方にアンケートに回答してもらうことができました。回答率自体は 7.9% ですが、この数字はかなりよいほうです。

これも、ただ単に「アンケートに答えてください。答えるとお礼にクーポンがもらえますよ」とアナウンスしただけでは、もしかしたら上記①・②の目的は達成されなかったかもしれません。

企画はある種、連想ゲームのような形で、

〈クリスマス　→　「サンタ」「プレゼント」　→　サンタに扮した配信者がアンケートのお礼に割引クーポンをあげる〉

のように発想しています。他にも、

〈お正月　→　「和服」「福袋」　→　和服を着た配信者が 3 種類のお得な福袋を発売して売り上げ UP を図る〉

〈誕生日　→　「お祝い」「ケーキ」　→　ケーキをイラストに載せ、配

信者の誕生日記念で逆プレゼント（セミナー無料参加権）を贈る〉

〈バレンタインデー　→　「男性である配信者」「チョコ」　→　バレンタインデーということで配信者から登録者に逆プレゼント。登録者満足度を高める〉

のように発想することができます。季節と絡めると企画は練りやすいと思います。

誕生日は1,000名以上に配信しましたが、この配信でのブロックは1名だけでした。さらに、この配信では合計40名のセミナー申し込みにつながっています（図5-7）。

極め付きは、バレンタインデーの配信（図5-8）。こちらの配信は、登録者の満足度を上げるのが目的でしたが、配信後、登録者の1人から、「こんなに良質なプレゼントをギブする堤さんすごいです！　知人から聞いたのですが、マーケリンクさんのサポートがいいと聞いたので、私

図5-7　実際に私の誕生日前に行った配信です。

図5-8　バレンタインデーの時期はチョコっぽい配信もしました。

もサポートお願いできませんか？」というメッセージが届きました。

「自分のキャラ出し」、「企画」、そして「圧倒的なギブの精神」。この3つをもって、登録者に愛されるアカウントを目指しましょう。

5-6

売り上げにコミットする「配信のルーティーン化」

南の島のスーパーの月4回の配信

本章の最後は「効率化」に焦点を当てます。自分のキャラを出したり、企画をしっかり練ることが大切だとここまでに述べました。しかし、毎回企画を考えるのも相当大変です。月に4回の配信を、全て季節を絡めた面白い企画として考えるのは実に骨が折れます。

そこでポイントとなるのが**配信のルーティーン化**です。ここでは、本書でも度々紹介してきたフレッシュマートとくやまさんの事例を見てみましょう。

月4回の配信では、3回を決まったルーティーン、1回を企画ものにします。フレッシュマートとくやまさんの場合は、以下のように考えました。

第1週目：とくやまスタッフの日常（キャラ配信）
第2週目：今週の特売キャンペーン（ウリ配信）
第3週目：企画配信（キャラ＆ウリ配信）
第4週目：こだわりの逸品紹介（キャラ＆ウリ配信）

具体的にどのようなルーティーンにできるのか、詳しく見てみましょう。

まず第1週目です。ここでは顧客に愛着をもってもらえるように、スーパーマーケットで働いているスタッフの日常を一覧で出しています。

重原　良作
鮮魚・お米担当
とくやまの電子米
彼女募集中
音楽が好きでバケツドラムとエアピアノ、エアドラムをたしなんでいる(?)。クリスマスケーキとウェディングケーキが大好物。
笑顔を絶やさず働きます♪

図5-9　カードタイプメッセージなので、簡単に配信できます。

本章の3節で紹介したカードタイプメッセージを使っています。例えば、今回は「趣味は？」という質問に対して、それぞれのスタッフさんが回答するわけです。

こうしたスタッフの日常を出すことで、ファン化され、店内で話しやすい環境を作り、間接的に売り上げUPにつなげます。この部分は毎回質問を変えて、その回答をスタッフに聞くだけです。今月が「週末何した？」であれば、来月は「好きな異性のタイプは？」でもいいですし（笑）、「夏休みの予定は？」など何でもネタになります。それほど頭を悩ませる必要がなく、面白いキャラを前面に出した配信ができるでしょう。

続いて第2週目です。第1週目とは変わって、お店のウリを配信します。こちらもカードタイプメッセージを使うことで、「今週はこれが安いですよ！　お得ですよ！」と配信します。カードタイプで、日曜日

とくやまはいちごづくし!
ゆうべに
恋みのり
※品種は変更の
可能性があります。

図5-10 たった1回の配信で、苺の売り上げが70%も増えました。

から順に土曜日までお得な情報が並んでいたら、ワクワクしますよね。

そして第3週目です。こちらは月1回の企画配信ということで、季節やイベントと絡めた配信をします。フレッシュマートとくやまさんでは、実に様々な配信を試みてきました。例えば、苺の季節には、様々な苺の品種の食べ比べ＆人気投票配信を行ったことがあります（図5-10）。

店内で試食をして、どれが美味しかったかを投票するシンプルな企画です。ところがこれがハマり、対前年比170%もの苺パックが売れたそうです。

他にも、季節と絡めて「クリスマスのチキン配信」「母の日のありがとうお弁当配信」など様々な企画を実施。軒並み前年を超える売り上げを記録し、企画のハズレがないという驚きの成果をあげています。

最後の第4週目は、フレッシュマートとくやまさんならではのルーティーン企画です。スタッフの徳山さんは、日本全国から「こだわりの逸品」と題して、本当にこだわって作られた本物の商品を店頭に並べています。その中で、「これは！」と思ったものを、毎回動画で紹介しています（図5-11）。

図5-11 キャラ全開の動画ですね（笑）。

この動画は「徳山さんのキャラクターが面白い！」「実際に買って食べてみました！　美味しかったです！」「今度買いに行きます！」などと大きな反響を呼んでいます。過去の動画もかなり面白いし、参考になると思います。気になる方は、図 5-12 の QR コードから登録してタイムラインをチェックしてみてください。実際にこだわりの逸品動画が見られます。

ここまでの月 4 回の配信を基本とし、あとは臨時特売配信や、その都度売りたいものの配信をすれば OK です。

このように一見、よく練られたフレッシュマートとくやまさんの配信企画も、実はシンプルにルーティーン化されているのです。

図5-12 QR コードから大人気の動画をチェックしてみてください。

もう一度、振り返ってみましょう。

第１週目：とくやまスタッフの日常（キャラ配信）
第２週目：今週の特売キャンペーン（ウリ配信）
第３週目：企画配信（キャラ＆ウリ配信）
第４週目：こだわりの逸品紹介（キャラ＆ウリ配信）

ぜひ、この事例を参考にしてみてください。

さて、ここまで、配信の質を保ったままルーティーン化する方法をお伝えしてきました。こうすることで、楽しみながら、それほど負荷がかからない充実した配信が可能になります。

最後に、本章で紹介した「配信の法則」をまとめておきます。

・配信は月４回でOK（プラスαももちろん可）
・売り上げをUPするためには「反応率」を上げることが大事
・反応率を上げるためにはカードタイプメッセージを使うと効果的
・自分のキャラ出し×企画でさらに反応率を上げられる
・企画は季節と絡めた連想ゲームで
・配信をルーティーン化して労力や負担を減らす

アカウントが整備され、友だち数が増えてきたあなたは、あとは配信のみです。本章でお伝えしたことをぜひアウトプットしてみてください。

第6章

「月商100万円」を目指すならクライアントワークに徹すべし

6-1

「クライアントワーク」を磨くと仕事の依頼が殺到する

クライアントワークとは?

第6章の最初では、まず仕事の本質的な部分をお伝えしようと思います。それは、クライアントやお客様は、専門家としてのスキルはもちろん、コミュニケーション能力を重視してあなたに仕事を依頼するということです。

仕事や業種にもよりますが、あなたの行っている仕事が世界に1つだけの、あなたにしかできない仕事であるのであれば、これはまた違う話かもしれません。

しかし、私を含めて皆さんが行う仕事は、必ず競合がいます。同じようなことをやっている個人や企業は無数にあるのです。

十分なスキルやノウハウを持って、何かをお客様に提供できるのはある意味、当たり前。その上で大切になってくるのがコミュニケーション能力です。**本書では、お客様やクライアントに対峙するときのやりとりやコミュニケーションのことを「クライアントワーク」と呼びます**。私のいるWebマーケティング業界では馴染みのある言葉ですが、このクライアントワークが最も大切であると私は考えます。

私はこれまで、自社の業務をこなしていく上で、ざっと数えただけでも100名、200名、いやそれ以上のフリーランスの方とやりとりをしてきました。その中でも特に痛感したこと、それは、クライアントワークを十分に理解していないと思われるフリーランスが多い、ということです。クライアントワークについて、いまいちピンときていない方も多いと思いますので、例を挙げてみましょう。

例えば、あなたがフリーランスのデザイナーに、あなたの事業を宣伝するチラシを発注しようと依頼の文章を送ったとします。

デザイナーAさんからは、「ありがとうございます。A4チラシ1枚で25,000円です。」というシンプルな返事が返ってきました。

対してデザイナーBさんは、

・B5、A5、A4、B4各サイズとモノクロ・カラーで印刷した場合の料金表
・納期の目安
・過去の制作事例

の3点を送ってくれ、最後に〈もし必要があれば、お打ち合わせも可能です。直近で打ち合わせ可能な日は、①5月28日10時～18時 ②5月29日17時～21時　③5月30日13時～16時の間で可能です。1時間ほどあれば大丈夫かと思います。その他、ご不明な点があればメッセージください〉と返信がありました。

このとき、あなたはどちらのデザイナーに依頼したいと思いますか。私なら間違いなくBさんです。デザイナーBさんは、想定される質問をあらかじめ予測して、料金や納期、制作事例などを最初からわかりやすく提示しています。また、煩わしい打ち合わせの日程を先方に提示させないよう、Bさん側から提示しています。相手に配慮したクライアントワークだと言えます。

もちろんAさんもシンプルに回答されていて悪くはないのですが、AさんとBさんでは、納品までのスピード感が圧倒的に違ってきそうです。Aさんに依頼するとしても、少なくとも納期や過去の制作事例を確認してから依頼しますよね。そうなると、次にまた複数の質問をして、回答を待たなければなりません。Aさんはシンプルに一問一答であるのに対し、Bさんは2歩先、3歩先まで想定して、業務を早く進めようとしてくれている意図が見られます。

この意味で、仮にAさんとBさんが同じようなデザインスキルを持っていたとしても、依頼を受注できるかどうかは、もっと根本的な、クライアントワークに対する姿勢の違いにあることがおわかりいただけると思います。

クライアントワークを徹底して単価が大幅UP

ここで、月商100万円をフリーランスで達成するために大切な考え方についてお話しさせてください。スキルとともにクライアントワークを磨くと、続々と仕事依頼が舞い込みます。「○○さんはとても気持ちのいい仕事をしてくれる、おすすめだよ！」とクライアントが自然に宣伝してくれるからです。

私は独立した当初、フリーランスの英会話講師として仕事を始めました。当然、最初は生徒ゼロからのスタート。1時間の英会話レッスンの価格を2,000円としてスタートしました。

決して自慢できることではありませんが、私の英会話講師としてのスキルは他の講師と変わらない程度か、もっとスキルが上の人もいたはずです。しかし、私はこのクライアントワークを徹底した結果、どんどんレッスン単価を上げることができました。

1時間2,000円でスタートした英会話レッスンは、3か月後に5,000円、半年後には15,000円まで上げられました。単価を上げても仕事依頼が舞い込んだからです。

私は、スケジュールの8割が仕事で埋まったら、単価を1,000円ずつ上げていく、という決まりを自分自身の中で設定していました。この結果、半年で7.5倍の単価UPに成功したのです。

クライアントワークを極めると、単価UPにもつながる。そして、一定割合でスケジュールが埋まってきたら、単価をUPする。**誰でも簡単にできる月商100万円までのショートカット**だと思います。ぜひ参考にしてみてください。

次節からは、クライアントワークを細分化して説明していきます。どのような点に気をつけてクライアントワークを進めていけばよいのか、見ていきましょう。

6-2

クライアントワークの作法①
「90点で1週間」より「60点で1日」を目指す

スピード自体が価値になる

「90 点で 1 週間かけるより 60 点で 1 日を目指す」は私の経営するマーケリンクの社訓にもなっています。これを端的に言うと、スピード自体が価値になる、ということです。

駆け出しのフリーランスの場合は、特にこれを意識すべきでしょう。なぜならば、1 週間かけて自分が 90 点のつもりで行った業務でも、相手にとっては 90 点ではなく、30 点や 40 点かもしれないからです。

まだあまりスキルが伴っていない、経験が浅いときほど、相手のイメージと自分の業務に乖離がある可能性は高いです。だからこそ、まずはスピードを意識してください。**60 点でもいいからまずは提出して相手に確認を求める、というスタンスでよい**でしょう。

業務の質という点では、相手の感性にもよりますから、どんな評価がされるか最後までわかりません。しかし、1 週間を予定していたところ、これを 1 日でこなして提出すればどうでしょうか。これは、誰がどう見ても、スピードという点において評価に値する、ということになるはずです。

変化の速い今の時代だからこそ、スピード感をもって業務に取り組むのはとても大切なことです。

第５章で詳しくご紹介したように、マーケリンクの業務の１つにLINE公式アカウントの配信代行やコンサルティング・制作があります。この中で、LINE公式アカウントのリッチメニューを制作することがあるのですが、通常このリッチメニューは付き合いのあるフリーランスのデザイナーに依頼することになります。

私から依頼をすると、２日ほどで完成、早いときは翌日、または当日仕上がり、ということもあるくらいです。

今まで何十人というデザイナーさんとやりとりした結果、今では、こうした早さとクオリティーを兼ね備えた人だけに依頼をしています。

つまり、早いことが価値になり、結果としてそれがデザイナーにとっては単価UPや稼げることにつながっているのです。

通常、リッチメニューはデザインのヒアリングから納品まで、約１週間は要するのが普通です。しかし、こうしたデザイナーさんのおかげで、会社としても最短２日ほどで納品することができます。

この意味で、私の会社マーケリンクにもどんどん依頼が舞い込みます。クオリティーだけ見れば、おそらくフリーランスの相場としては、5,000～6,000円でしょう。しかし、こうしたスピード意識・クライアントワークを意識することで、マーケリンクでは33,000～55,000円という価格設定でも毎日のように受注があります。

結果的に、他よりも高い料金でも売れてしまうのです。

6-3

クライアントワークの作法②
報告の「粒度」はできるだけ細かくする

頻繁な報告でクライアントの信頼を得る

私は「報告の粒度が粗いせいで炎上してしまう案件」を多数見てきました。報告の粒度というと少しわかりづらい表現かもしれませんが、つまり、現在はどのような状況なのか、案件のどこまで終わっているのか、逐一、進捗をクライアントに報告できていないケースが多々見られる、ということです。

今まで総勢200名以上のフリーランスの方と一緒に仕事をしてきた中でわかったこと。それは、**トラブルになったり、契約を解除されたりするケースで最も多い原因が、報告を怠っていたことにあった**、ということです。

以下は、私がYouTubeの動画編集をあるフリーランスの方に頼んだときのエピソードです。

初回のヒアリングを終え、「1週間後までには仕上がる」と先方から伝えられました。その後は特に連絡もなく、そのまま期日を迎えました。連絡はありませんでしたが、あまり急かすのも悪いかと、こちらからの連絡や催促は控えていました。

迎えた期日当日。連絡は一向にありません。待てど暮らせど音沙汰なし。期日の翌日に、「動画編集の件、どうなっていますか？」と連絡したところ、「すみません。明日までには完成しますので、お待ちいただけますか？」との返答がありました。翌日まで待った結果、この件はどうなったと思いますか？

結論から言うと、私からすれば低いクオリティーで、完成度40%の動画が送られてきたのです。

ここでは、クオリティーの問題はともかくとして、私の心理、つまり依頼した側の心理をひもといてみます。

多くの場合、「予定の期日を過ぎて１週間以上待ったのだから、それはしっかりした動画編集がされているだろう」と思い込んでいます。ハードルがぐんと上がっているわけです。

これが逆に、締め切りにも遅れ、予想していたクオリティーよりも低いものであれば、次の取引は当然ありませんよね。

このケースの場合、動画編集者はどうするのが適切だったのでしょうか。１つには、「報告の粒度」をできるだけ細かくすることです。**「今、こんな現状です」「冒頭の部分の編集だけ終わりました」など、適度に報告を入れることで、相手に「安心感」を与えることができます**。

一方で、１週間なんの音沙汰もない状態というのは、それだけで相手に不安を感じさせてしまい、クライアントワーク的には非常にマイナスなのです。クライアントワークの作法①と同じことを言うようですが、「まずはここまで、60%できました！」と常にスピード意識をもって、細かく報告していくことをおすすめします。

言われてみれば当たり前のことのようですが、繰り返しお伝えします。200名以上のフリーランスと関わってきて、これができている方はほんの一握り、というのが現状です。

こんな体験もありました。マーケリンクがある会社のLINE公式アカウントを２つ配信代行していたときのことです。それぞれのアカウントを別のスタッフが責任者として担当していました。

Aというスタッフは、報告の粒度の大切さを理解し、頻繁に先方の担当者に報告をしていました。一方、Bというスタッフは月１回のミーティング以外、報告することはありませんでした。

その結果、先方の担当者から「Aさんは頻繁に連絡してくれ、アカウントの売り上げも好調ですが、Bさんの担当するアカウントの結果がいまいちで……こちらの継続契約をどうしようかと思っています」という連絡が入りました。

ところが、私が客観的に売り上げや成果のデータを分析・ヒアリングしてみると、スタッフAもBも売り上げには同じくらい貢献していました。

結果の出ているBさんでしたが、報告の粒度が粗いばかりに、先方の担当者から「成果が出ていない」というイメージになってしまったのです。

もしかしたらこれは特異な例かもしれませんが、実際に起こったことです。報告を頻繁にすることが良好な信頼関係を得ることにつながる好例と言えるのではないでしょうか。

「あの件、どうなっていますか？」――クライアントにこう言われたときには黄色信号だと思ってください。そう言われないように、自ら能動的に報告するようになると、見える世界が本当に変わってくるでしょう。

6-4

クライアントワークの作法③
逆算思考を持ち、「To Do癖」をつける

逆算思考とTo Do癖で業務の二度手間がなくなる

続いてのクライアントワークは「逆算思考」を持ち、「To Do 癖」をつけることです。細分化すると 2 つに分けられますが、セットで覚えておくとよいでしょう。

ところで皆さんは、「クライアントにこれを聞かなければいけなかったのに、忘れていた」「思った以上にやることがあって納期が遅れてしまった」という経験をしたことはありませんか。

もし、そうしたことが頻発するようであれば、それは逆算思考ができず、To Do 癖がついていないせいかもしれません。そんなあなたには本節の内容がきっと役に立つはずです。

ここでは、LINE公式アカウントのリッチメニューをデザイナーとして制作する、というケースに落とし込んで見ていきます。

逆算思考とは、達成したいゴールから逆算をし、どんなことをいつまでにやらなければいけないのかを明確にする考え方のことです。**逆算思考をすると、いつまでにこれをやるという、To Do が発生**します。スタートとゴールの点を線で結び、間に様々な To Do を配置するようなイメージです（次ページ図 6-1）。

まず、リッチメニューのデザイン制作の最終ゴールは、大枠で見ると、「会社や個人（依頼者）の売り上げ UP に貢献するリッチメニューを 5

図6-1 この図を常にイメージしておきましょう。

日後に納品する」ことにあるでしょう。

では、これを逆算して、いつまでに何をやらなければいけないか To Do 化します（図 6-2）。

あとは、列挙したこれらをいつまでにすべきかを決定すればOK です。逆算思考し、To Do 化すると、「これをやらなければいけなかったけど、忘れていた」「思った以上にやることがあって納期が遅れてしまった」ということがなくなります。

今までなんとなくふわっと業務をこなしていた方は、パソコンで打ってみたり、文字に書き出したりして、必ず実践してみましょう。**頭の中だけで終わらせず、実際に書き出してみることがポイントです**。

こちらは別の事例ですが、マーケリンクでは、否が応でも逆算思考とTo Do 化をスタッフレベルで徹底してもらうために、LINE公式アカウントの制作を行うとき、クライアントに図 6-3 を見てもらいながら説明する時間を作っています。

こうすることで、クライアントからも「制作ゴールのイメージがわいた」、「説明がわかりやすく、やってもらえることが明確になった」という言葉をいただいています。

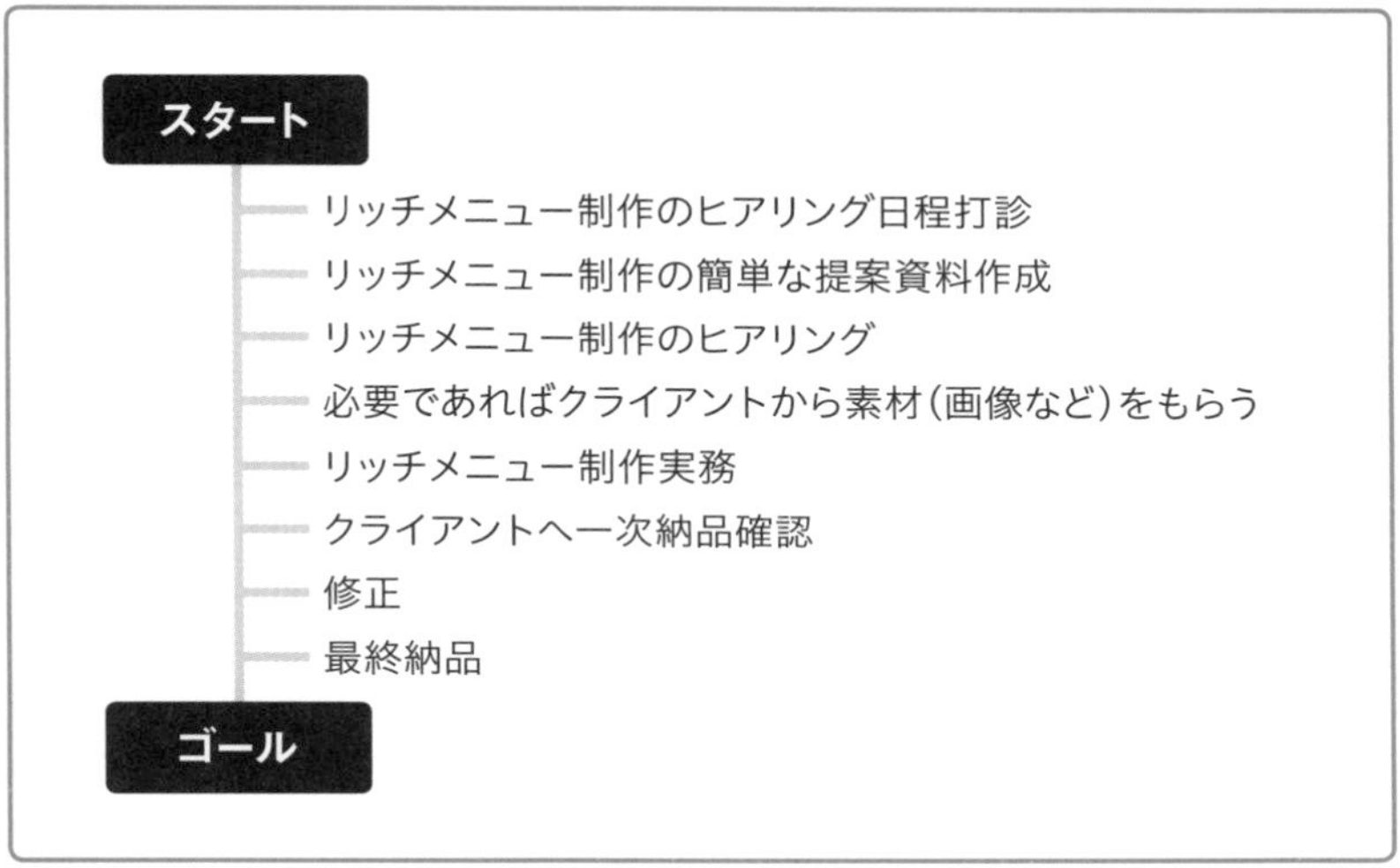

図6-2 「逆算」と「To Do 化」がキーワードです。

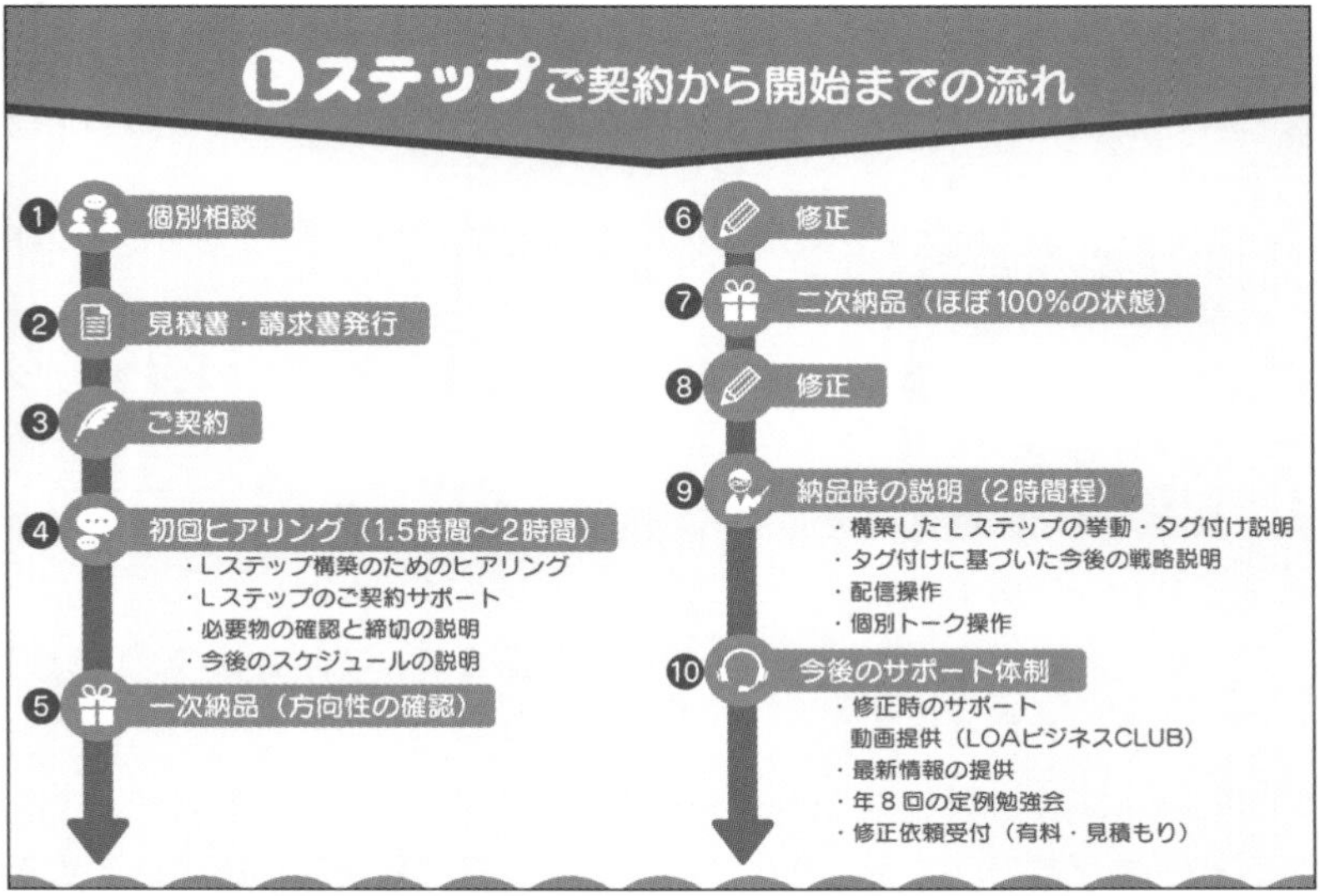

図6-3 制作のスタートからゴールまでを逆算思考で To Do 化しています。

6-5

クライアントワークの作法④
「提案力」であなたの価値を感じてもらう

モノや価格で勝負する時代は終わった

モノが溢れる時代、単なる商品提供をしていては売れなくなりました。他と差別化するために大切なのは、あなたの提案力です。ここでもリッチメニューの事例で見てみましょう。

LINE公式アカウントのリッチメニューを初めて作成するクライアントは、どのようなリッチメニューが売り上げUPにつながるのかわかっていません。

では、売り上げUPを達成するためのリッチメニュー制作のために必要な要素とは何でしょうか。これを細分化していきます。例えば、下記のようなものが考えられます。

・LINE公式アカウント運用で何を目的とするか（例：○○という商品の販売）
・リッチメニュー基本の6項目に何を掲載し、どこにそれぞれリンクさせるか
・基調カラーの選定（例：メインはオレンジ、サブはイエロー）
・イメージ（例：可愛らしい、クール、シンプルなど）
・イラストの有無（イラストや似顔絵を描くことで、会社のブランディングにもなりうる）

ざっと挙げただけでもこれだけあります。これらを最終的に形とするために、ヒアリングと提案をするのです。

クライアントと一緒に迷ってしまい、なんとなくのデザインになってしまえば三流のデザイナー。クライアントから言われた通りにデザインすれば二流のデザイナー、とは言えないでしょうか。

ただ言われたようにデザインするのではなく、**経験と知識から専門家としての「提案力」をもって提供する**——私はこれが一流のデザイナーだと思います。

この提案力はなにもデザインの世界だけではなく、身近にも潜んでいます。皆さんは髪を切るとき、どのような美容室に行きますか。

日本にある美容室の数は、コンビニほど多いと言われています。もはやレッドオーシャン、価格競争になっていることは間違いありません。髪を切ってもらおうと思えば、駅ナカに入っている1,000円カットでも十分なわけです。

しかし、私がこの1,000円カットを利用しないのは、行きつけの美容室の「提案力」を買っているからです。例えば、

「今はこのような髪型ですけれど、堤さんの顔色や骨格を見ると、こちらの髪型が似合うかもしれません。トレンド的にもバッチリです」
「最近はこのような服が流行っているけれど、堤さんはこのような服を着られますか？　それなら今回はこんな髪型もアリですよね」

このような提案力があるからこそ、1,000円のカットが5,000円にも10,000円にもなるわけです。

どんな単純労働でも、そこに付加価値をつけることは可能です。あなたは自分の仕事にどんな付加価値をつけ、どのような提案をすることができますか。ぜひアウトプットしてみてください。

6-6

クライアントワークの作法⑤
大枠から、端的に、わかりやすく話す

SNS集客でも根幹はわかりやすさに尽きる

SNSやオンラインツールが発達した今、通常のコミュニケーションに加えて、メッセージでのコミュニケーションもそれ以上に大切になっています。その中で、大切になってくるのは話し方（書き方）・伝え方。

特に、

①大枠から話すこと
②端的に話すこと
③わかりやすく話すこと

この3点はセットで常に意識したいことです。

これまた、リッチメニュー制作を例にとって説明しましょう。

ゴールと工程をイメージしてもらう

1つ目の「大枠から話す」というのは、裏を返せば、木を見て森を見ずの状態で話す人が多いということです。リッチメニューの作成依頼があった場合、マーケリンクでは、まず全体の流れを次のような文面で送るようにしています。

①ヒアリング日程の調整（Zoomで30分程度）・請求書発行、入金（当社、前金制のため事前入金をお願いしております）

↓

②ヒアリング実施

【ヒアリング項目】

＊LINE公式アカウント運用で何を目標とするか、達成されたいか（例：○○という商品の販売）

＊リッチメニュー基本の6項目に何を掲載し、どこに飛ばすか（イメージがつかない場合は、色々とこんな例がありますと提示いたします）

＊基調カラーの選定（例：イエローとオレンジの互い違い）

＊イメージ（例：可愛らしい、クール、シンプルなど）

＊イラストの有無（無料で似顔絵等も描けます＾＾）

↓

③デザイン制作（ヒアリングから2~5営業日程度）

↓

④一次入稿（修正があれば、お伺いします）

↓

⑤納品

このように大枠から説明すると、わかりやすくないでしょうか。**まずは大枠から入り、必要に応じて枝葉の部分を説明**します。

フリーランスであろうとなかろうと、何か業務を進めていく上では、ミーティングや商談を行うことも多いでしょう。

そんなときも、「本日のアジェンダ」ということで、大枠を簡単にまとめてあげると、クライアントやお客様にとっても非常にわかりやすいです。

ちょうどこの原稿を書いているまさに本日も、クライアントとのミーティングがありました。私は例に漏れず、いつものようにアジェンダを5分程度で作成（本当に簡単なもの）し、ミーティングに臨みました。

ミーティングが始まり、開口一番、クライアントにこう言われました。

「私は今月も10社くらいの方とミーティングをしましたが、堤社長のようにアジェンダまで送ってくれる企業って実はないんです。すごくわかりやすくて、感謝しています」

このように、ちょっとしたクライアントワークの差が、クライアントと信頼関係・良好な関係を築くコツと言えます。

質問にはシンプルに答え相手の「解答」を引き出す

次に2つ目の「端的に話す」についてです。シンプルに言うと、YES／NOで答えられるクエスチョンには、まずYES／NOで答えること。そしてYES／NOで答えられないオープンなクエスチョンにも、まずは端的にその質問に対するアンサーを言うことです。少しわかりづらいので、例を見てみましょう。

例えば、あなたが電化製品を販売している大型電器店の店員さんだったとしましょう。お客様から、「予算10万円以内で冷蔵庫と電子レンジと掃除機は買えますか？」という質問をされたとします。これはYES／NOで答えられる質問です。

ここでやってしまいがちな回答は、「う〜ん。例えばグレードの良いものを買おうとすると、冷蔵庫だけで10万円いってしまいますし、品質を落とせば不可能ではないですが、それぞれの電化製品の大きさや性能にもよりますし……」とやたらダラダラと話してしまい、結局回答になっていないパターンです。これでは予算10万円で買えるかどうか、肝心の答えがわかりません。

端的に答えるとは、こういうことです。

「はい、ご予算10万円以内でご用意可能です。優先したいことやこだわりはありますか？」

電化製品に詳しい店員さんであれば、当然いろんな知識が頭に入っています。様々な回答をしたくなる気持ちもわかります。しかしそこはグッとこらえて、まずはYES／NOで端的に答えましょう。そのあとで、お客様の具体的な要望を引き出す質問をし、絞り込んでいくのです。**「解答」はお客様が持っているのであり、店員さんが持っているわけではありません**。これを意識するだけで、お客様やクライアントとの関係性は大きく好転すると断言します。

オープンなクエスチョンでも同様です。あなたが「この中でおすすめの冷蔵庫はどれですか？」と聞かれても、ダラダラと長く話してはいけません。まずは端的にアンサーをしてあげることで、すっきりした回答になります。

至極当たり前のことを言っているようですが、気づかないうちにダラダラ話す回答をしている人は山ほどいます。今日からぜひ意識をしてみてください。

蛇足ですが、世界的な一流の卓球選手は、インタビューされたときに端的に答える練習を繰り返し普段から行っているそうです。今度、インタビューを聞く機会があれば聞いてみてください。国際的な大会でインタビューを受ける卓球選手は、理路整然と端的にインタビューに答えているような気がします。

PREP法の中でも「E」を意識してわかりやすく

最後に3つ目の「わかりやすく話す」についてです。1つ目で見た「大枠から話すこと＝わかりやすく話すこと」ですし、2つ目の「端的に話すこと＝わかりやすく話すこと」とも言えます。これらに加えて、さらに私がクライアントに物事を伝えるときに意識していることがあります。それはPREP（プレップ）法を使うことです。PREP法を使って話すと、とてもわかりやすく相手に物事を伝えることができます。

PREP法は文章を書くライターの仕事ではかなり有名な方法で、一般のビジネス書などでもよく登場するのでご存知の方も多いかもしれません。PREP法は、以下の頭文字をとってその名がついています。

P（Point）…要点
R（Reason）…理由
E（Example）…例
P（Point）…要点

まず最初に要点を伝え、その理由を述べる。そして、例を話すことによって話をわかりやすくし、最後にまた要点で締めくくる。これがPREP法です。この順番通り話せば、確かにある程度わかりやすい話ができると思います。

ただ、PREP法を知っている人の中でも、話し方がイマイチわかりにくいな、という人は意外と多くいます。「わかる」と「できる」は違う、の典型的な例とも言えます。そんな人が話をさらにわかりやすいものにするためには、特に「E」の部分を意識するとよいです。

同じＥでも、Example ではなく Episode（エピソード）と捉えるとよいでしょう。このエピソードトークが上手な人の例として挙げられるのが、YouTube 講演家の鴨頭嘉人さんです。鴨頭さんはエピソードトークの達人です。話を聞くだけで、頭の中にその情景が浮かびます。

例えば、話に女性が登場するのであれば、単に「女性」と表現するのではなく、「30 代くらいの、小さな子どもを連れた小柄なお母さん」と表現すると、その場面がよりイメージできます。

人に物事をわかりやすく伝えようとするのであれば、特にＥを意識し、相手の頭にその情景が浮かぶようなエピソードトークを心がけてみてください。

クライアントワークに徹するなかで話し方がわかりやすいと、本当に次の仕事の依頼がバンバンくることが実感されるはずです。

手前味噌な話で恐縮ですが、私があるセミナーでLINE公式アカウントの運用方法について講演したとき、聴講者の中に大手企業に研修講師を派遣している会社の社長さんがいました。私の話し方が目に留まったとのことで、セミナー終了後に「20 代であなたのようにここまでわかりやすく日本語を話す方はなかなかいない。ぜひうちで若手向けの研修講師をしてくれないか？」と声をかけられたことがありました。

その後、実際に私は関西に本社がある一流食品メーカーの新卒研修を担当することになりました。それまで新卒研修とは無縁の世界で生きてきたので、とてもいい経験をすることができました。

今から１年半以上前の話ですが、「話し方」１つで仕事の依頼がされるんだな、と初めて実感した出来事でした。

6-7

クライアントワークの作法⑥
ビジネスの成否は「事前準備が8割」

事後のフォローよりも、事前に万全の準備をする

ここまで見てきた、逆算思考とTo Do癖、提案力、わかりやすい話し方、これらを総合的に駆使して事前準備をすると、クライアントワークは必ずうまくいきます。

ここでいう「事前準備」が必要になるのは、プレゼンはもちろん、商談、ミーティングなど、自社だけではなく他社を巻き込んで行う会合全般です。

私は前職の会社員時代、ミーティングがあっても、特に何も意識せずに参加していました。しかしフリーランスとして独立してからは、この考えが一変しました。なぜならば、意味のないミーティングは生産性が全くなく、ミーティングを行うだけでは1円の成果にもつながらないからです。

極端な話、会社員はミーティングでぼーっとしていても、給料が入ります。しかしフリーランスは、ぼーっとしていたら確実に1円にもなりません。フリーランスにとって時間は何よりも大切です。

私は無駄に回数を重ねる商談は極力避けます。できることなら1回でサービスの受注を決める努力をしています。本来であれば2回はかかる商談を1回で決めてしまえば、その分を他社から受注する時間に充てられるからです。

ところで、商談で自社のサービスを導入してもらうための事前準備は

当然のことですが、主導権がどっちつかずのミーティングや商談の場合も要注意です。

例えば、「ブライダル業界向けのLINE公式アカウントセミナーをやってほしい」と他社から依頼されたケースを想定してみましょう。

事前打ち合わせの前に、招致いただく目的やミーティング当日に決定したいことなど大切な部分だけをメッセージ上で簡単にすり合わせます。そのあと、商談前にアジェンダを作成し、自分なりの回答を持ってミーティングに参加することが大事です。

ここでいう「自分なりの回答」とは、セミナーの開催方法（リアル or オンライン）、話す内容、最後の落とし所（自社と主催者双方のメリット提示）、講師料など、考えうるポイントに対しての回答です。

自分なりの回答を持って参加することで、「ミーティングはしたけれど、結局何も決まらなかった」ということにはなりませんし、私自身、過去にそういうことは一度もありません。自分なりの明確な回答を持っているので、自分に不利な条件で交渉が進むこともありません。

事前準備をしっかり行うことで、あとから「あれを聞き忘れた！」「これってどうしたらいいんだろう？」と再度聞く手間が省けます。**事前準備をする時間は当然必要ですが、のちのち無駄な再ミーティングや質問をしないためにも、長期スパンで考えて、これでもかというほど事前準備をしておく方が得策**です。

6-8

クライアントワークの作法⑦

相手に労力をかけさせない

「相手にとってコスパのよい」接し方

クライアントワークの作法も残りわずかとなってきました。「最小の労力で最大の効果を」「相手に労力をかけさせない」はどちらもクライアントにできるだけ労力を負担させないという意味ですが、少し異なるので順に説明します。

まず「最小の労力で最大の効果を」についてです。

本書を読んでくださっている方の中には、自分自身が何らかのプロフェッショナル（講師）として、クライアント（生徒）に教えるお仕事をしている方、する予定の方も多いでしょう。

例えば、あなたがダイエットトレーナーだったとします。ここに、「3か月で体重を15キロ落としたい」というクライアントが現れたら、あなたはトレーナーとしてどんなアドバイスをしますか。

「毎日20キロ走って、1時間筋トレして、食事制限もして、このサプリを飲んで……」

とアドバイスしたらどうでしょう。自分がクライアントの立場になればわかると思います。「そんなにあれこれ言わないでよ」と。

つまり、プロフェッショナルとしては、**クライアントに合わせて「あなたの場合だったら、これだけすれば大丈夫」と効果のあるものを選定**

することが仕事なのです。

私自身も、この考え方を最大限に駆使して成功した事例があります。第4章でも紹介した「婚姻届製作所」は、可愛らしい婚姻届やキャラクターものの婚姻届を製作し販売するサイトです。

同サイトのLINE公式アカウントのコンサルティングをする中で、「3時間で友だち数を8.8倍にした」ことがあります。

やったこととしては、ECサイトにLINE公式アカウントの友だち登録を訴求するポップアップ画像（図6-4）を出しただけです。事前準備が1時間＋ミーティングに1時間＋実際の取り付けに1時間、といったイメージです。

事前準備では、ECサイトの閲覧数自体はかなり多いことがわかりました。サイトにはLINE公式アカウントの登録を促す画像もありました

図6-4　わずか数時間の労力で友だち数を8.8倍に。

が、これがわかりづらかったのです。そこで、初めてサイトを訪問する人にわかりやすくポップアップで出るようにし、さらに登録する「意味」として登録特典を画像に明示しました。

その結果、月に110人ほどだった友だち登録数が、ポップアップ画像設置後、月に968人にまで増加したのです。その後も安定的に800～1,000人／月ほどと順調に友だち登録数が増えており、現在では5桁の累計友だち登録数となっています。

もちろん、あれもこれも提案して実行すれば、効果が出るのはわかります。しかし、時間もお金も有限です。専門家として、最小の労力で最大の効果をあげるための提案が欠かせないのです。

相手に労力をかけさせない想いは質問にも現れる

次に「相手に労力をかけさせない」とは何かを説明します。クライアントワークで差が出るのは質問の仕方です。

例えば、あなたがクライアントにAという施策、Bという施策、どちらがいいか判断を仰ぎたい場面を想像してください。

ここでやってしまいがちなのは、「○○さん、Aという施策とBという施策を考えました。どちらがいいと思われますか？」と直接質問することです。「え？　これ何が悪いの？」と思われるかもしれませんが、相手に労力をかけさせないクライアントワークではこう質問します。

「○○さん、Aという施策とBという施策を考えました。△△という場合に限っては、Aという選択肢もありです。しかし、現状を考えると、××という理由からBの方がいいと私自身は判断します。特別な理由がなければＢで進めようと思いますが、こちらでよろしいでしょうか？」

最初の質問の仕方だと、クライアントに頭をひねって考えてもらう必要があります。しかし後者は、選択肢は出しているものの、自分の回答を持っており、クライアントの判断もしやすいように思います。

もちろん、こうした聞き方は時と場合によると思いますが、自分の意見を反映させた聞き方をすると物事がうまく運ぶことが多いです。

クライアントワークのできるコスパのよい人材は、とにかく**常に「思考」をしています**。

次の場合はどうでしょうか。本書でも繰り返し例に挙げた、LINE公式アカウントのリッチメニューの作成を想定しています。

「リッチメニューの６区画の項目中、最後の１つの項目はどうしましょうか？」
「リッチメニューの６区画の項目中、最後の１つは◯◯という理由からお客様の声にしようと思いますが、これで進めてよろしいでしょうか？」

YES ／ NO で答えられる分、明らかに後者の方がクライアントも答えやすいです。前者は思考をしないといけないので、答えが出るまでに時間を要する可能性があります。

そして、前者は単なる質問であるのに対し、後者は質問＋提案です。さらに、前者は選択肢がないので、「答えづらいなあ」とクライアントは思うかもしれません。

このように、質問の仕方１つとっても、奥が深いものです。「そこまで気をつけないといけないの？」と思われるかもしれませんが、こうしたクライアントワークを意識して実行すると、本当に感謝される場面が増えます。もちろん感謝されるだけでなく、クライアントから選ばれる事業者になることもできます。

　本節を読んだ皆さんは、ぜひ質問の仕方から変えてみましょう。いかにクライアントに愛をもって接することができるか、クライアントに労力をかけさせず実行していくかがポイントです。

6-9

クライアントワークの作法⑧

制作物は理由を添えて納品する

なぜ？ を先に説明すると物事がうまく運ぶ

第６章最後の項目です。これは、特に何か制作物を作成して納品するお仕事をしている方に当てはまります。例えば、私のWeb界隈のお仕事でいうと、ホームページのバナー画像のデザイン、YouTubeのサムネイル作成・動画編集、ブログの記事などが挙げられます。

ここでやってしまいがちなのが、制作物ができたら、それをそのまま納品してしまうことです。「え？　普通に納品する以外に何かあるの？」と思われるかもしれませんが、おすすめなのは、なぜその制作物になったのか、理由を説明することです。

例えば、マーケリンクでクライアントのLINE公式アカウントを作成・構築するときは、

・どうしてこのリッチメニューの項目・デザインにしたのか
・どうしてこのあいさつメッセージにしたのか
・どうしてこのプロフィールページにしたのか

などポイントになる部分を事細かに説明した動画を別途撮影して、納品します。

こうすることで、プロの視点から見てなぜそうなっているのかを理解してもらうことができ、圧倒的に納品後の修正を減らすことができるのです。

デザイナーの方なら、“クライアントによる納品後の度重なる修正地獄”に嫌気がさしている人も少なくないでしょう。

修正地獄に陥らないようにするためにできることは多々あると思いますが、最も効果的なのは、納品時に圧倒的に丁寧な説明をすることです。

デザインはその人の「好き・嫌い」で左右されてしまいがちなので、そこをデザイナーとして「なぜそうしたのか」を説明できれば、クライアントにも納得してもらえ、修正が減り、大きな変更も少なくなるでしょう。

さて、ここまで見てきたクライアントワーク。「そんなこと当たり前だよ」「できているよ」という人は、私が思うに100人に1人の逸材だと思います。素晴らしいです。

改めて、こちらにまとめます。このページを常に開いておいて、クライアントワークができているか、毎日チェックする習慣をつけましょう。

①「90点で1週間」より「60点で1日」を目指す
② 報告の「粒度」はできるだけ細かくする
③ 逆算思考を持ち、「To Do癖」をつける
④「提案力」であなたの価値を感じてもらう
⑤ 大枠から、端的に、わかりやすく話す
⑥ ビジネスの成否は「事前準備が8割」
⑦ 相手に労力をかけさせない
⑧ 制作物は理由を添えて納品する

おわりに

まずは最後まで読んでくださった皆さまに、心より感謝申し上げます。ありがとうございました。最後に少しだけ、「はじめに」と同様、私の起業当初の話をさせてください。

私が思い描いていた起業とは、「苦しんで苦しんで、汗水垂らして働いて、やっとの思いで食っていけるようになる」というものでした。実際、起業1年目は365日中、364日間働きました。起業2年目に入る1日前だけ休んで、あとは自分の誕生日もずっと働いていたのです。

でも、今振り返れば、もっと「ゆるり」と起業できたのかな、とも思います。無料で使い倒せるSNSの登場により、いい意味でゆるく起業できるからです。

でも、だからこそ、SNSのちょっとした使い方のコツや、それ以外のビジネスにおける本質的な部分で差がつくのです。本書ではその部分を惜しみなくお伝えし、SNSでの仕事で成功するための「超」ショートカットを伝えられたかなと思っています。

私が2017年に起業した当初、今の妻（当時はただの友だち）と何気なく話したことを今でも覚えています。妻も私と同じ起業家だったのですが、「味噌ラーメン食べたいな～と思ったら、明日札幌に飛行機で行けるくらいになりたいね！」と話していました。そんなたわいもない話からおよそ3年。

味噌ラーメンを食べたいとは思っていなかったのですが（笑）、妻からこんな打診がありました。

「明後日から何か予定ある？　私、沖縄に行きたいんだけど」

突拍子もない妻の一言ですが、私はすぐにこう返しました。

「味噌ラーメン食べたいと思ったら、明日札幌に飛行機で行けるくらいになりたいね！って３年前に話していたの覚えてる？　味噌ラーメンではないけれど、リラックスしたいから明後日から沖縄に行こうか」

そう話せる自分がいたのです。そして、実はこの「おわりに」を書いている６時間後に、名古屋から飛行機で沖縄の離島に３泊４日で行くことになりました（笑）。

ありきたりな言葉かもしれませんが、私は起業したことによって、「自分らしい人生」をおくることができるようになりました。「明後日から沖縄に行こう！」と思ったときに行けることが、まさにその証明なのだろうと思っています。

人生は１回しかありません。「後悔しないように、やれることは全てやろう」――そう思って起業の世界に飛び込んだ４年前。私は「起業経験なし・コネなし・自己資金なし」の３拍子揃った、逆アドバンテージの人間でした。ところが、SNSの可能性に気づき、ちょっとしたコツと本質の部分をとらえ、起業を軌道にのせることができるようになりました。

20代のゆとり世代・草食男子の私からあえて言わせてもらうなら、ガツガツ頑張りすぎなくても、

・最小の労力で最大の効果を出すこと

・思考を深くすること

この2点をおさえてSNSを使っていったら、私よりももっと上手にビジネスを加速できる人は山ほど出てくると思います。

アフター・コロナ、ウィズ・コロナで先行き不透明な部分もありますが、これから起業・独立してSNSでの仕事を頑張ろうと考えているあなたに、少しでも勇気が与えられたら何よりです。

最後になりますが、本書を執筆するにあたり、多大なるサポートをいただきました。CCCメディアハウスの鶴田寛之さん、ブックリンケージの中野健彦さん、編集の及川孝樹さんをはじめ、私のこれまでの起業人生で関わってくださった皆さまに、この場をお借りして感謝を申し上げます。

本書の締めくくり部分は一番頭を悩ませましたが、ここはSNS起業らしく、LINE公式アカウントのQRコードを出して終わりたいと思います（笑）。以下のQRコードを読み込んでもらうと、私からの最後のメッセージが流れます。ぜひ読み取ってメッセージをご覧くださいね。

それでは、最後はLINE公式アカウントの中でお会いしましょう！

2020年6月　名古屋の自宅にて沖縄旅行を楽しみに待ちながら

堤 建拓

堤 建拓　つつみ・たけひろ

株式会社 MARKELINK 代表取締役
Web マーケッター、LINE公式アカウントの専門家

1991 年生まれ、愛知県稲沢市出身。TOEIC スコア 960 点。大学時代の海外経験・インターンシップを契機に、「英語×ビジネス」を学びたいという想いから、名古屋市立大学卒業後、英会話スクール大手企業にスクールコンサルタントとして入社。
1 年半で退社後、独立・起業。独学で身につけた SNS・Web 集客のノウハウを駆使し、半年で英会話スクール 3 校を設立、月商を 5 倍に増やした。
2017 年に LINE公式アカウントを組み合わせたブログを立ち上げ、開設後 10 か月で月商 200 万円以上を達成。現在では多くの企業の Web マーケティングや LINE公式アカウントの運用に携わり、担当した会社は 100 社を超える。著書に、『世界一わかりやすい LINE公式アカウントマスター養成講座』（つた書房）などがある。

LINE公式《こうしき》アカウントの達人《たつじん》が教《おし》える
超簡単《ちょうかんたん》！ SNS仕事術《しごとじゅつ》
「1人で月商100万円」への超ショートカット法

2020年 9 月 4 日　　初版発行

著　者　堤 建拓
発行者　小林 圭太
発行所　株式会社 CCC メディアハウス
〒141-8205 東京都品川区上大崎 3 丁目 1 番 1 号
電話　03-5436-5721（販売）　03-5436-5735（編集）
http://books.cccmh.co.jp

印刷・製本　豊国印刷株式会社

ISBN978-4-484-20224-2

先生がママ先生になったら読む本

平野里那・小崎つぐみ・吉田聡美・井上和雄　著

——あなたらしく、ママ先生でいるために

SNSで「ママ先生」の発信が増えています。
その投稿やコメントの中で、多く見られるのは次のような内容です。

〝復帰が不安です。教師の仕事と両立できるのでしょうか〟
〝子どもの発熱などで、同僚に迷惑をかけるのが心苦しいです〟
〝毎日育児に追われ、自分の時間がありません〟
〝膨大な仕事、どうしたら時短できますか？〟

本書は、このようなママ先生ならではの疑問や不安について、
実際に子育て中の三人のママ先生に一問一答形式でお答えいただいたものです。
三人に共通しているのは、「大変だけど、楽しいし、充実している！」ということです。
本書を読んだ後には、きっと、ママ先生の未来の姿が見えてくると思います。

また、6章では、教職員の産休・育休制度についての基本情報をまとめました。
出産や育児を支える様々な制度があります。まずは知ることが大事です。
（なお、同じ内容を姉妹編『先生がパパ先生になったら読む本』にも掲載しています）

自分の人生や家庭生活を充実させながら、楽しく先生を続けていくために。
本書がお役に立てれば幸いです。

『先生がママ先生になったら読む本』編集部

contents

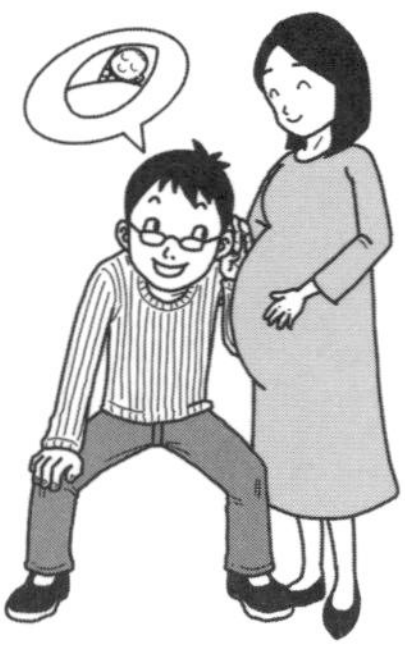

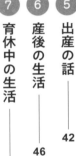

contents

contents

第6章

第1章

ママ先生座談会

ママ先生座談会

ママ先生のリアルな日常

〈参加者〉※内容は座談会開催時のものです。

平野里那さん

静岡県の小学校教師。5歳と3歳の子どもの母。4年半、育休を取り、去年の4月から復帰をして2年目になる。ママ先生の会を運営している。

小崎つぐみさん

大阪府の小学校教師8年目で特別支援学級を担当。子どもは4歳、2歳、1歳の三人で、育休を3回取得。Instagramでママ先生の生活についてインプット・アウトプット中。

吉田聡美さん

西日本の小学校教師8年目。今年の4月に育休から復帰して、現在2年生の担任をしている。1歳半の娘とプロレスラーの夫と暮らす。

ゲスト 野村有紀さん

愛知県の小学校教師として8年勤務した後、産休に入って長男が1歳4カ月のときに部分休業をとって担任に復帰。現在、4歳と0歳の息子を育てているママ先生。

01 ママ先生の平日の過ごし方

司会　まず、平日の過ごし方について、一日の流れでお話しいただけますか。

小崎　うちは夫婦二人とも小学校の教員で、子どもが4歳、2歳、1歳の三人います。

私は5時半から6時の間に起きて、仕事をしたり、ＴｏＤｏをこなしたりと、自分の時間に使っています。6時に夫が起床してご飯を作り、子どもたちに食べさせます。7時20分頃には出発。夫と二人で三人を自転車で送っていきます。自宅から保育園までが5分。保育園から学校までが25分くらい。学校に着くのが大体7時55分頃です。

私は学校に着いたら、打刻してあいさつをします。時間に余裕があれば、登校しにくい児童がいるので迎えに行きます。その後特別支援担当の先生方と朝の打合せをします。残業をしないで早く帰るので、昨日退勤した後の打合せで何か変更がなかったかを確認しています。

いまは特別支援の担当なので隙間時間がなく、放課後にしか自分の仕事をする時間がないので、放課後1時間半くらいの間でできることを計画的にやって退勤します。

17時40分から18時までには学校を出ないと保育園のお迎えに間に合わないので、必ず出るようにしています。夫に「いまから迎えに行くよ」とＬＩＮＥして、二人そろって迎えに行きます。

18時半頃に帰宅して19時にご飯。20時に寝る準備。子どもたちはすぐに寝るときもあれば、30分経っても寝ないときもあります。子どもが寝た後に、家事や自分の自由時間を取って、23時には就寝します。

送り迎えは、基本は夫と二人で行きます

が、夫が残業があるときは、私が子ども三人を連れて帰っています。私の実家が自宅から近いので、どうしても急な用事ができたり子どもが発熱したときなどは世話をお願いすることもありますが、基本は夫と何とかしようと思ってやっています。

　日々過ごす中で決めていることは、毎日のことをルーティン化すること、私だけがわかるのではなくて、家のことは夫もわかるようにシステム化すること、子どもも一戦力と考えて、家のことは自分たちのことと捉え、全員ですることということです。

司会　「ルーティン化」「システム化」がキーワードなのですね。

吉田　私は基本的に「朝はルーティンで動く、夜はルーティンをつくらない」という感じで過ごしています。そして、朝は夫、夜は私が子どもの担当になっています。

　朝は大体5時半までには起きて、一杯水を飲むことから始まって、トイレ掃除、洗面、化粧、洗面台を掃除して、食器を片づけたり植物の水やりをしたりします。だいたい6時すぎからは仕事モードにすると決めていて、ルーティンで動いている感じです。

　朝は夫がすべて担当なので、私は、夫と娘が寝ている間に出勤することもあります。だいたい家を出るのが7時くらい、学校に着くのが7時15分くらいです。

　帰りは定時が16時半ですけれども、そこから17時までの間には出ようと決めています。保育園に娘を迎えに行ってそのまま帰ってきて、娘が庭で遊びたいと言ったら庭で遊ばせるし、ドロドロになったらそのままお風呂に入る。すんなり家に入ってくれたら、ちょっとおやつを食べたりEテレなどを見てる間に食事の準備してお風呂を沸かして、お風呂を

ママ先生たちの一日比較表

	平野 （お迎え担当の日）	小崎	吉田	野村
5：00			起床 トイレ掃除	
5：30	（夫、起床。食事の支度）	起床 自分時間	洗顔、メイク、片づけ等の後、自分時間	起床。自分時間、その日の確認
6：00	子どもたちと起床、朝食	（夫、起床し食事の支度）		食事の支度、朝食
6：30	子どもたちが遊んでいる間に準備	子どもたち起床 みんなで朝食	食事の支度と着替え、朝食（夫が全て子ども担当）	夫、子ども起床 朝の家事、朝食
7：00	7：10　自宅出発 夫が保育園送り担当	7：20　自宅出発 保育園送り	自宅出発 7：15　出勤	出勤準備
7：30	7：20　出勤	7：50　出勤 朝打合せ		自宅出発 保育園送り
8：00				8：10　出勤 朝打合せ
9：00～ 16：00	勤　務			
16：30			16：30～17：00の間に退勤	15：40～15：50　退勤 16：00　お迎え （部分休業の日）
17：00	退勤		保育園迎え	退勤（定時の日）
17：30	保育園迎え	17：40　退勤	自由時間	保育園迎え
18：00	帰宅、夕食	夫と保育園迎え		食事の支度
18：30		全員で帰宅	夕食とお風呂	子どもと夕食
19：00	子どもとお風呂	夕食		
19：30		子どもとお風呂		子どもとお風呂
20：00		寝る準備		
20：30	子どもたち就寝	子どもたち就寝		
21：00		家事・自分時間	子どもと一緒に就寝（寝落ち）	寝かしつけ後、自分時間
22：00				夫帰宅、食事の支度
23：00	就寝			家事
23：30		就寝		就寝
3：00				
4：00			早い日は起床	

先にするかご飯を食べるかも娘次第、みたいな感じです。

20時半頃には布団に入って21時までには寝ています。娘と一緒に寝落ちできるように、片づけまで終わっているのが理想なんですが、できない日もあります。いずれにしても早目に寝て、朝早く起きられるようにしています。家ではなるべく仕事のことを考えないように、というか考えられないので、学校のことは学校でというふうにしています。

司会　子どもと一緒に寝てしまう方式か、寝ない方式かというのは、家庭によって分かれるところかもしれませんね。

平野　わが家の朝は旦那との分業体制です。旦那のほうが朝早く起きて、朝ご飯の準備をしてくれます。ご飯とお味噌汁に、たまに鮭を焼いたり。その間に私が子どもたちを起こします。ぐずりがひどいので頑張ってトイレ行かせたり着替えさせたりします。

6時20分くらいに朝ご飯を食べます。水筒の準備、連絡帳を書いたりとかも余裕があれば旦那にやってもらっています。ぐずりがひどくて私だけでは無理だというときには、旦那にも対応してもらっています。

子どもたちが朝ご飯を食べ終わったら、ちょっとテレビを見てもらって、私たちは自分たちの準備をします。

7時10分過ぎには出発します。旦那も小学校教員ですが、旦那の学校と子どもたちが通っている園が近いので、朝の送りはお任せしています。なので私は家を出たら職場に直行します。

夕方の家事育児は、曜日によって私が全て担当する日と、旦那が全て担当する日に分けています。だいたい17時半にお迎えに行って、帰宅してすぐ夕飯。19時にお風呂に入って、20時に絵本を読んで、20時半ぐらいに就寝。うちの子たちは園で運動しているせいなのか20分もあれば寝てくれる感じです。

私は何とか寝落ちしないでいられることもあれば、もう無理で寝てしまうこともあります。寝落ちしなければｚｏｏｍで先生の会をやったり、読書したり勉強したり。

〝朝派〟のママ先生もすごく多いんですけど、私は夜のほうが自分の中で合っているんだなってこの2年で感じました。20時半に子どもたちの寝かしつけを始めて、早いときには21時前にリビングに降りてくることができるので、そこから2～3時間は自分の時間。リフレッシュにもなるし、そこで自分と向き合ったり、自分のやりたい勉強をしたりしています。もちろん家事もあるんですけれど。

その間、旦那は何をしているかというと仕事です。早く帰ってきても担当の日以外はノータッチで、お互いにそれで文句なしというルールでずっとやっています。なので、小崎さんみたいに、送迎も家事も旦那さんと協力体制ではなくて、うちはもう「家事育児か仕事か」、みたいな感じで完全に分かれています。

司会　曜日による完全分業制ということですね。もう少し詳しく教えてください。

平野　月水金曜日は私が家事育児で、旦那は仕事。火木曜日は私が仕事で、旦那が家事育児を全部やることになっています。旦那が担当の日は、お迎えから寝かしつけまで全部旦那がやります。その火木があるから、私は自分の仕事が回せているのかなと思います。

それに学校自体、働き方改革で割と早く閉まります。最近は18時半に閉まっちゃうので、いい意味でありがたいなって思うんですけど、18時半だとかなり急いで仕事を回していかないといけないし、放課後を使って仕事ができる時間が本当に少ない。だから、仕事に専念できる火木は本当に貴重です。

あと、うちは旦那が料理を担当していて、冷蔵庫の中を見て献立を立てて買い物に行き、料理をするところまで旦那がやってくれて、後片づけやそれ以外の家事の担当が私です。料理をするってすごく労力が必要なので、そこはとても助かっています。

司会　家事分担においては料理が肝になりそうですね。パパ先生の座談会でも、家事分担のお話に「料理だけは奥さん」という方が多かったんです。パパが料理までできるようになると、こういうふうにママがぐっと楽になるんだろうなと感じました。

野村　私は、妊娠がわかったときから、職場で部分休業を取っていた先輩や、尊敬している先輩方に家庭と仕事の両立についていろいろ話を聞くようにしていました。その中で自分ができることを真似させていただきました。

私の主人の帰りが早くて21時と遅いので、保育園の送り迎えは私がやっています。

朝は5時半くらいに起き、その日の授業や一日の流れを確認し、ＴｏＤｏを書いたり、本を読んだり、トイレ掃除をしたり、ストレッチをしたりします。主人が6時半くらいに起きてきて、息子のご飯を食べさせてくれるので、その間に私は自分の準備をします。7時半になったら保育園に出発。息子が登園をしぶったり、準備が遅くなったりすると、学校に着くのがぎりぎりになることもありました。

学校に着いたら、職員室でパソコンを立ち上げ、連絡を確認。教室に行き、宿題をできるだけチェックして、朝の打合せの頃に職員室に戻ります。自分は他の先生方よりも早く帰宅させていただいているので、学年の先生に「昨日、何か決まったことがありましたか」と確認するようにしています。

　また朝や、子どもを下校させた後「今日、学年で何かやることはありましたか？」と自分から確認をします。何もなければ職員室に戻って、職員室でしかできない仕事、校務分掌のことなどをやります。特に仕事がなければ「今日は早めに失礼します」と伝え、部分休業を取って帰らせていただいています。

　定時で帰る日は自分の子どもとの遊びタイムがほぼないまま、ご飯の準備やお風呂に追われます。息子の体力があり余っているのもあって、21時に寝てくれたらラッキーといった感じです。

　息子と一緒に寝落ちしなければ、主人のご飯の準備をしたり、家事をしたりするのですが、寝落ちする日も多いです。その時は夜中の3時とかに起きて、そこから家事などをスタートします。平日の帰宅後はほぼ私一人でやっていますが、適当に、気楽にと思ってやっています。

02 ママ先生になって……

司会　ママ先生になって、一番の変化はどのようなことですか。

小崎　出産前のように21時まで学校に残ったり、土日に学校に行ったり、無限に時間がある働き方ができなくなりました。私は皆さんよりも育休前のキャリアが少ないので、自分から学んで成長していかないという焦りがあります。
　また、例えば美容院に行くにしても、土曜日のこの時間帯は夫が家にいるからここで予約しよう……とか、したいときにしたいことができなくなりました。「ああ、髪切りたいなあ、明日行きたいな……無理！」っていうのがストレスです。時間にすごく縛られている感じがありますね。

吉田　私ができなくなったことは主に三つです。何でも引き受ける、迷惑をかけないようにする、家での仕事、ができなくなりました。

　若いときは何でも経験しなさいと言われてきたので、あれもこれも、何もかも引き受けてきたけれど、いまは自分で自分の首を絞めることになるし、学年の先生方に迷惑かけることになってしまう。同僚の先生に頼る、任せることが増えてきました。

　家で仕事ができないっていうのも、皆さんそうだと思うんですけど、いままでだったら家で丸付けしようとか授業を考えようとかできていたのですが、そもそも体力が残ってないし、子どもがいるので落ち着いて考える時間が取れないので、とにかく学校で終わらせないといけないということが増えました。

平野　復帰して、自分の子どもとの時間は確実に減りました。切ない気持ちやさびしい気持ちもあります。でもそれは仕事があるのでしょうがない。むしろ、育休中、子どもと二人きりでいたときの育児ストレスが復帰して減ったかもって思う場面がよくありました。

　復帰する直前のママ先生から「すごく不安なんです」という声を聞きますけど、自分に向き合って、子どもとも向き合って、ママは頑張ってお仕事してくるから、あなたも園で頑張ってきてね、という環境もいいと思っています。

　復帰してからは、私は社会の役に立っているんだって思えるし、子どもとの時間は量よりも質。こんな遅い時間まで預けちゃって……とか思わずに、「おかえり」「ただいま」ってギューする瞬間がすごく幸せです。これは育休中には感じなかったことなので、復帰をして良かったかなと思います。

野村　私は、職場で先生方と相談とかおしゃべりをする時間が減ったのを一番に感じます。子どもを下校させてから、自分は17時に出たいと思っているのでどうしても話をする時間が減りました。

　学級の子どもたちのためにと無限に時間を使うことができなくなったと感じます。お休みも増えるので同僚に迷惑をかけてしまうことも増えました。そんな時に「誰か（祖父母など）助けてくれる人はいないの？」とさりげなく聞かれることもあって、近くにすぐに頼れる先がない私にとっては、何とも言えない気持ちになることもありました。

03 仕事の見直しと工夫

司会　ママになって見直した仕事や、早く帰るための仕事の工夫はありますか。

小崎　iPadと手帳を併用して、もれや抜けがないようなＴｏＤｏリストを作り、スケジューリングをしています。教材はiPadで作っているので、どこでも見られ、すぐに共有でき、印刷もできる。何回も使えて簡単ということで、時短につなげています。

　あとはApple Watchや、iPadに入っているアプリ、タイマー、リマインダー、カレンダーなどの機能やアプリなどを使って、忘れやすいという自分の短所をカバーしています。

平野　私は、自分の家庭がいかにバタバタしていたとしても、わかる授業、楽しい授業をちゃんとやっていきたい、子どもたちの心もちゃんと見たいという思いがあるので、そのためになることだったら手を抜かないで頑張りたいと思っています。

提出物は、なるべく即提出するようにしています。自分の子どもが朝から急に熱が出て休まなきゃいけないっていう状況もどうしても出てくるので、そうなる前に誰かが関わる仕事は先に、という意識でやっています。

あと、長期休みにまとめて仕事をします。4月にはゴールデンウィーク前までの教材研究をやっておき、ゴールデンウィーク中に夏休みまでの教材研究、夏休みはほぼ1年間の見通しをもって教材研究をやります。自分にとっての心の余裕になります。やれるときにやれるだけやっておくのはいいなと思います。

給食当番や掃除当番、印刷物は先に作ってである、提出物も週案もやってある、というふうにすでにやってある状態をつくって自分がそこに乗っかるだけ。そうすることで自分の中では仕事ができるようになってきた感じがします。

とはいえ、全然できてないこともいっぱいあるし、やっぱり4年半もお休みしたので、育休から復帰して、うわーやらかしたーっていうこともたくさんあります（笑）。

司会　復帰されて、仕事のモチベーションも上がり、スピードも上がり、クオリティーも上がったのですね。

平野　失敗もし、みたいな（笑）。

吉田　私は人に迷惑をかけるっていうことが自分の中でストレスを感じるので、極力迷惑をかけないように下準備はいっぱいするし根回しもたくさんするんですけど、やっぱりどうしても子どもの急な病気とか、保育園に呼ばれたりとかで放課後に残れなかったりして迷惑をかけることはあります。そこはもうしょうがない、いまはこういう時期なんだって割り切って、子育てが落ち着いて、自分が教育現場でいろいろサポートできるようになったら、いまの私の立場みたいな人たちに「いいよいいよ、全然いいよ、もう帰り！」ってサポートしたいなって思います。

あとは、とにかく見通しをもつということ。迷惑はかけても極力最小限になるように、なるべく先まで見通しをもっていまできることをやっておくし、「これどうですか？」って自分からちょっと早めに提案したりするよう心がけています。

それから、いい加減にするということ。それはぞんざいとか投げやりにするっていう意味ではなくて、適度な具合を見極めるということ。若いときだったらとことんやるし、「あの先生みたいに」とやってきたものを、もう自分はここまででいいやとか、これは本当に子どものためになるのかな？っていうのを見極めて、仕事を取捨選択する覚悟も必要だなと思っています。

司会 使える時間が限られる中では、取捨選択する覚悟、非常に大事かもしれませんね。

吉田 それから、優先順位をその場その場で見極めるようにしています。私は一番大事なのがとにかく健康でいること。これは心も体もなんですけど、健康が脅かされるともう何もできないので、健康第一。だから、明日の授業の準備できてない、やらないと！　でも眠たい、しんどい、「じゃあもう寝る！」っていうのをその時その場で決断していく。今日は家に帰ってご飯を作らないと！　食材がない、ああどうしよう、でももう自分の体のほうが大事だ……「冷食にしよう！」「テイクアウトにしよう！」とか、その都度天秤にかける感じです。

学校でも子どもに関わるような問題と、自分がどうしてもやっておきたい仕事がある。でも子どもの問題は子どもがいるところで解決しておかないといけない、じゃあ子どものほうを取ろうと。優先順位を決めて即座に動くことを大事にしています。

で、最後は感謝の気持ちをもつことを忘れないようにしています。同僚とか後輩たちにありがとう、子どもたちにもありがとう、家族にもありがとう、協力してくれる祖父母にもありがとう。とにかく「ありがとうございます」っていう気持ちを忘れずに、自分の時間が空いたときには仕事をカバーしたり、何か物を渡したり、何かでお返ししたいなって思っています。

野村　復帰1年目は、自分の学級経営がどこまで削っても大丈夫なのか、成り立つのか、やってみようと思って、実験的にすることを減らしたり、別の形に置き換えたりしました。例えば、生活科や理科の観察カードも、放課後じっくり朱書きをしていたら間に合わない。代わりに授業の中でできた子から提出し、すぐにほめたり、短くてもコメントしてすぐに掲示したりしました。

そして「やっぱりあったほうがいいな」と思ったものは、自分のキャパに応じて増やすし、「これはなくても大丈夫だわ」って思ったものについてはもうやらない。実際に学級通信を出すのはやめました。その代わり、子どもの頑張りを一筆箋でお手紙にして渡すということはやっています。子どもに口頭で伝えるよりも、おうちの方に子どもたちの良かったことを伝える良さを感じたので、復活させたことの一つです。そういう視点をもてたのは良かったなと思います。

それから、児童が下校したら自分のことはしないようにして、全力で学校や学年の仕事をしています。研究授業もできるんだったらやる。自分のやれることは全力でやって、「いつもやってくれてるから、いいよ」と周りから言ってもらえるような環境を自分からつくることは意識しました。

　妊娠や出産が女性しかできないので、結婚とか子育てにおいてどうしても女性が引き受け、負荷がかかる部分が多いのは感じます。私はそれでいいと思っていますが、それを受け入れたら楽になりました。いまはいろいろできなかったり、迷惑をかけることが多くなってしまいますが、いまできる範囲で全力でやり、もう少しわが子たちが大きくなったときにいまできていない部分を頑張ったり、いまの私と同じようなママ先生たちの支えになったりして、恩返しできたらいいのかなと思っています。

司会　ママ先生たちの世代をまたぐ思いやりのバトンですね！

04 未来のため、この仕事を頑張る

司会　最後に、オンラインの研究会やママ先生のイベントなどに参加されることの良さ、思いなどを教えてください。

野村　私は復帰したのがコロナで休校になった年で、オンラインが普及したことで救われたなと思っています。授業の相談などを人に相談したいときに、オンラインの場があったから聞くことができ、本当に救われました。また、自分でもオンラインで勉強会を開いて、参加くださった皆さんと悩みなどを出し合いアドバイスがもらえるようになったことも大きかったです。オンラインがあることで、学

校の中だけではなく、学校の外の人ともつながることができ、家にいても他の先生方から学んだり、お話を聞いたり、相談したりすることができて、できることの幅がすごく広がったと感じます。

司会　これができるのも、「学校に勤務している先生」という共通のフォーマットがあるからですよね。全国各地の先生が、同じ話で盛り上がれるというのはすごく面白いことだと思います。

平野　私が主宰しているオンラインの「ママ先生の会」はメンバーが2年で260人になり、最高で70人くらい一度に集まったこともあります。教員の仕事に関する話もあるし、普通のママとしての話題も盛り上がります。みんな頑張ってるんだな、同じことに悩んでいるんだなって思えることはすごく意義があるのではないかと思っています。

この座談会でも、一人ひとりの生活を深掘りしていくと、こんなにみんな工夫しているんだっていうことがわかって、すごく楽しかったです！

小崎　私たちは、先生ですけどママでもあるので、オンラインで仕事以外の美容についての話や子育てについての悩みなどの情報交換も気軽にできるのが楽しいです。

吉田　オンラインでの出会いは、戦友との出会いみたいな感じですね。「ママ先生の会」もそうだしこの座談会も。頑張って何とか毎日を充実させながら、この仕事を未来のためにやる。一緒に戦う仲間！　みたいな（笑）。

司会　ママ先生を楽しみながら戦う日々、さらには未来への貢献という視点もかっこいいなと感じました。ありがとうございました。

（おわり）

第2章

〝先生〟から〝ママ先生〟への変化

第2章

1

いまの平日の過ごし方は、どんな感じですか？

夕方以降は曜日によって旦那と交代制です。

朝は、私が起こしたり着替えを見たりしている間に、旦那が朝ご飯を作ります。ご飯、焼き鮭、ヨーグルト、果物、というメニューが多いです。朝ご飯の後、子どもたちは遊ぶかテレビを見るかします。その間に旦那と私は、自分の準備を進めつつ連絡帳や水筒の準備をします。旦那の学校（同業です）と保育園がすぐ近くなので、朝の送りは全て旦那に任せています。

保育園へのお迎えは私が週に３回、旦那が週に２回です。お迎えに行くほうは、帰宅して夕飯、お風呂、歯磨き、絵本の読み聞かせ、寝かしつけまで全て担当します。お迎えに行かないほうは、何をしてもＯＫとしています。

私がお迎えに行かない場合は、いつもよりゆとりをもって仕事に取り組み、授業の準備などをしています。帰宅後は、家事が片づいたら「一人時間」をもつようにしています。

（平野）

家族がゆっくりくつろげる時間を作るために、決まったルーティンで過ごしています。起床後、私は保育園の荷物の確認、夫は朝食を作ります。メニューは固定で、朝食も夕飯も早く食べられて、子どもたちが好きなメニューを出すことが多いです。7時20分頃には家を出発し、夫と自転車で子どもたちを保育園に送った後、8時前に職場に到着。早くて17時40分頃に退勤し、18時に夫と子どもたちを迎えに行きます。

帰宅後の家事も夫と役割分担をしていて、私が夕飯を作っている間、夫は洗濯担当です。寝かしつけが終わるのが20時半頃なので、子どもたちの寝かしつけをしていないほうが残りの家事をするという暗黙のルールになっています。日頃から育児について夫と共有するようになり、もめ事が減りました。共有にはスケジュール管理アプリを使っています。寝落ちしなければ、次の日の用意をし、残りの家事をして、自分時間を過ごしてから23時半頃には就寝します。

（小崎）

完全にルーティン化して
家事は夫と手分けしています。

睡眠時間を最優先にしつつ 朝を充実させています。

21

時までに娘と就寝、朝は5時半までには目覚めます。私は、体があまり丈夫ではなく、睡眠不足だとイライラし、全てのパフォーマンスが下がるため、睡眠を何よりも大事にしています。以前は超夜型でした。でも、十分な睡眠の後、自然に目覚め、静かな中で過ごす朝活の気持ちよさに気づき、ハマっています。目覚めた時間によって疲れ度合いもわかります。自由な時間にワクワクして、4時頃目覚めることも（笑）。

起床後は、トイレと洗面台の掃除→スキンケア→洗濯物の片づけ→化粧とヘアセット→食器の片づけ→植物の世話のルーティンを約20分で終え、その後は自分のしたいことをします。6時過ぎからご飯の準備と着替え。娘が寝ていても、夫に任せて7時に家を出ます。仕事が溜まっているときは、早朝出勤しています。夕方は17時までには娘を迎えに行き、帰宅後はあえてルーティンは作らず、なるべくゆったり過ごしています。

（吉田）

第2章

2

ママ先生になって どんなことが 変わりましたか？

ママ先生として復帰して わが子との時間は「量より質」に。

「育休中のように長時間、わが子と一緒に過ごすことはできない」ということです。その事実は変えられませんが、考え方を変えることはできます。私は「量より質」と考えています。長時間一緒に過ごすことはできなくても、短い時間の中で楽しい経験をたくさんできればいい、という考え方です。

平日に、わくわくしながら「次のお休みには何をしようか？」と予定を立てます。そして休みの日は、平日にはできないことをします。「楽しいね！」と言ってくれるときの笑顔に癒されます。

育休中も、楽しい日々でしたが、一緒にいる時間が長すぎて疲れたりイライラしたりすることがありました。復帰し、確かに家族との時間は減りましたが、イライラせず自分のペースで仕事ができる良さもあります。「できなくなった」ではなく、「こんな家族の在り方も良いな」と変容を楽しむのも良いと思います。

（平野）

保育園の送迎があるので、始業と終業の時間に制限があります。学校にいる間は、その日にできる最低限のことだけをしてお迎えに向かいます。人と関わる仕事（保護者の方に連絡、会議や打ち合わせなど）は早めになおかつ最優先で終わらせます。残った仕事は家に持って帰ってすることもありますが、隙間時間も逃さずその日にやりきる気持ちで、退勤時間まで猛スピードで仕事をこなしていきます。

そのため、放課後に同僚の先生方と雑談する時間は以前よりも少なくなり、少し寂しいです。どうしても残って仕事をしたいときはあらかじめ夫と相談し、月に何度か残業日を作っています。スケジュール管理アプリを使い、予定を共有しています。夫も同職なので、この時期忙しい！　や、急に帰れなくなった！　などはお互いに理解があり、「仕事が回らなくても最悪、残業日にできる」と思うと、気持ちが楽です。

（小崎）

学校で雑談の時間が少なくなり寂しいです。

「全部自分がやる！」から人に頼ることが増えました。

初任者の頃は「何でも手を挙げて引き受けなさい」と言われてきました。実際、そのおかげで、たくさんのことを学ぶことができました。でも、子育てに手がかかるいまは、そういう時期じゃない。「全部自分がやる！」は危険。この時期が過ぎればまた、いろいろなところで恩返ししようと思い、後輩や同僚に任せたり、頼ったりすることが増えました。

だからこそ見えてきたものもあります。支えてくれる人たちのありがたさ。自分じゃないとできないと思っていた仕事も、案外、自分じゃなくてもできる。むしろ、誰でもできるように常に引継ぎを意識して仕事をしておくことは社会人として大事なことだと感じました。家事育児についても同じで、全部自分でやるのは無理！　潔く、夫、両親、姉妹、ファミサポ、保育園、有能家電たちに頼ります（家事代行とかもやってみたい！）。そして生まれた余裕で自分を満たし、家族やクラスの子たちにニコニコ接することができるように努めます。

（吉田）

第2章

3

妊娠がわかってからは どんな風に 過ごしていましたか？

産休前は担任外の仕事。産休中はわが子との時間を楽しみました。

妊娠がわかって心拍が確認できたとき、管理職の先生や学年主任の先生に報告しました。皆さんとても喜んでくださり、「良かったね！」と笑顔でおっしゃいました。すごく嬉しかったことを覚えています。また、たくさんの方が「何か運ぶものがあったら言ってね」「つらいでしょう、座ってね」と声をかけてくださいました。急に体調を崩すかもしれない、と不安な中、温かい対応にとても救われました。

私は3月まで学級担任をした後、産休まではご配慮をいただき、配布物をクラス人数分にまとめたり、掲示物を作ったりするお仕事をさせていただきました。こういう、あまり表に見えない仕事を、誰かが常にしてくださっていたんだなと改めて感じ、復帰後もこの気持ちを忘れずにいたいなと思いました。産休に入ってからは、仕事のことはいったん忘れて、散歩したり話しかけたりしておなかにいるわが子との時間をたっぷり楽しみました。

（平野）

第一子の妊娠がわかったのは学年末の3月でした。新学期の人事があるので、妊娠が確定してからすぐに管理職に報告しました。「何も心配ないから赤ちゃんのことだけ考えて」と言われ、すごく救われました。新学期になり、管理職にお願いして担任は外してもらい、職場の皆さんにたくさん配慮していただきました。

しかし、5月に切迫流産で入院することになってしまいました。1カ月ほど病気休暇をいただき、体調が安定してからは、職員室で仕事をさせてもらいました。先輩の先生から、「重いものは持たないで」、「走らないで」と何度か注意をしてもらうほど、つわりもほとんどなく元気な妊婦だったのですが、そのときは何もできない自分が悔しくて、申し訳なさと感謝の気持ちとで複雑でした。その後、無事に長男が生まれ、職場のみなさんにはとても感謝しています。

（小崎）

初期は元気な妊婦でしたが
切迫流産で入院しました。

妊娠中期は座って授業をしたり周りの人たちに支えられました。

いまの娘を妊娠する前に、一度流産を経験しました。想像を遥かに超える辛さで、命が尊いということ、生きていることは奇跡なのだと身をもって感じました。「命の重さに違いなんてない」と、仕事への使命感がさらに強まりました。そして二度目の妊娠。流産の経験から、不安の方が大きかったです。妊娠中期は体調を崩して何度か保健室で休ませていただきました。座ったまま授業をすることもありました。自習や急な変更も、子どもたちが理解してくれました。先生方、子どもたちには本当に感謝でいっぱいです。

そして待ちに待った産休。夢のマタニティライフ!……のはずが、3日後の健診で、切迫と診断され管理入院。約1カ月半、病院のベッドで横になり、ひたすら動画を見漁る生活。友達とカフェに行ったり、買い物に行ったりする夢は儚く散りました。いまでは良い思い出です。あんなにゆっくりできたのは、後にも先にもないかな。

（吉田）

第2章

4

産休に入る前にはどのような配慮が必要でしょうか。

新年度復帰を見据えて産休前から入念に準備をしました。

私は年度末まで担任したため、引き継ぎ等はありませんでした。お一人おひとりにお菓子を配り、あいさつし、産休に入ったことを覚えています。

また、産休に入る前に、復帰後のことを考えながら次のことをしました。

①明日の時間割を伝えるときに使う「国語」などの表示や算数で使用する「100円玉のイラスト」などのカードの保存。

②一年がどんな流れで進んだかがわかるノートの保存。

③新年度当初の細かい記録。

④新年度のチェックリスト（私は4月の復帰予定でしたが、新年度は何をすれば良かったかを思い出すだけでも時間がかかりそうだと考えたため、③と同時に作っておき、復帰後の4月を乗り超えました）

（平野）

お休みをいただく前に意識したことは次の①②のように「①抜けもれのないように引き継ぎをし、②自分のもっている情報をきちんと伝達しておく」ということでした。

①常日頃から管理職や学年主任の先生と、いつ休みに入るか、どのように休みに入るか、引き継ぎはどうするかなどをお話しするようにしました。

②事務職員の方には、育休中に学校に来なくても書類のやり取りができるように、事前に用意していただき、出産後すぐに提出できるよう準備しておきました。

引き継ぎ資料の作成は、産休に入る2カ月ほど前から始めました。具体的には、担当児童の個人情報（当時は支援級担任）、校務分掌の引き継ぎ（提案書は学年末の分まで作成し、提出できる状態でお渡し）、所見などです。最終日にはお菓子と手紙を職員の方たちに感謝を伝えながらお渡ししました。（小崎）

産休2カ月前から引き継ぎ資料を作成しきちんと伝達しました。

計画的に引き継ぎを済ませて産休に入ってからは学校へ行きませんでした。

産休に入る日が決まってから、「絶対に産休以降は職場に来ない」という覚悟で計画を立て、入念な引き継ぎをするように心がけました（産休に入って3日後に切迫管理入院になったため、行きたくてもいけませんでしたが……笑）。産休に入るときには、以下のことを終えて、学級に入ってくださる先生にバトンタッチしました。

1カ月先までの週案、通信簿一覧、所見、クラスの子の個票（指導の注意やアレルギーなど）、荷物の計画的な持ち帰り、保護者へのあいさつ（懇談会で）、子どもへの手紙、クラブ・委員会・校務分掌の引き継ぎ（後任が決まっていない場合は教頭先生に）。最終日には、「お休みをいただきます。ご迷惑おかけします」というシールを貼ったお菓子を先生方の机にお配りしました。荷物は、復帰後のことも考えてなるべく減らすことを意識し、夫に手伝ってもらって家に荷物を持ち帰りました。

（吉田）

第2章

5

出産が近づいたときは、どんな感じでしたか？

不安な気持ちを助産師さんに伝え寄り添ってもらいました。

妊娠中、バースプランの提出をしましたが、「初産ですので優しくしてください」「二人目、と思わず初産の人と思って励ましてほしいです」と書きました（笑）。助産師さんはその言葉通り、優しくほめながら出産に寄り添ってくださいました。初めてのことに不安がる気持ちや、励ましてほしいという気持ちをもつのは大人も子どもも一緒だなと思います。

旦那は家で陣痛が来たときから側にいてくれましたが、荷物を間違えたり忘れ物をしかけたりと慌てていた様子で、陣痛の痛みに耐えながらも笑いました。ですが、それで少しリラックスできました。陣痛室に通された後も、自分で飲むためにコーヒーを持ってきたと思ったら「ごめん……」と言うので何事かと見たら盛大に服にこぼしており、痛みと笑いで涙が出ました（笑）。出産直後にはビデオ片手にわが子に「うん、うん」と早速コミュニケーションを取っていたので微笑ましかったです。

（平野）

おしるしがあったので念のため病院を受診すると、すでに破水していました。即入院し、翌朝から促進剤を入れても進まず（泣）。夫にテニスボールで押してもらいながら陣痛に耐えるも私の血圧が高くなり、赤ちゃんの心拍も下がったので、緊急帝王切開で出産しました。産声を聞いたときは、嬉しさと安堵感でいっぱいでした。助産師さんには、「陣痛と帝王切開、ダブルで経験できたね」と言われました（全然嬉しくない！ 笑）。

術後は痛みと疲労で全く動けず、学校へ出産の報告ができませんでした。陣痛が来たことは知らせていたので、心配してくださっていたようです。出産後の連絡は夫にお願いしておけばよかったです。

第二子以降も、計画分娩で出産しました。夫の長期休みに被るように出産日を決めたので、上の子がいての出産でもその点は大変助かりました。

（小崎）

陣痛と帝王切開をダブルで経験！
二人目以降は計画分娩です。

車の中で痛みに絶叫……。親へのリスペクトが止まらなくなりました。

正産期（妊娠37週0日～41週6日までの35日間）に入り、切迫早産の管理入院から解放。退院してから出産までは、私の実家で過ごしました。家事もせず、栄養満点のご飯も食べられて両親には感謝です。予定日の2日前、陣痛が来て夫の車に乗り病院へ向かったものの、渋滞にはまり、痛みでヒーヒー泣き出す私。陣痛と陣痛の間はへらへら喋りだし、また泣き出す……。まるで狂ったような状態だったと思います（笑）。痛みには強いという謎の自信があった私ですが、あの経験から、完全に自信喪失しました。あんなに絶叫したのは生まれて初めてでした。でも、何より私も娘も元気で出産を終えることができたことに感謝です。

産後も2カ月ほど実家で過ごしました。初めての子育て。両親や、子育て経験者の姉妹がそばにいるのは、とても心強かったです。そして、四人の娘を育てた両親へのリスペクトが止まらなくなりました。

（吉田）

第2章

6

産後の生活はどんな風でしたか？

産後は旦那の実家に1カ月お世話になりました。

妊娠中、「産後の提出物一覧」というチェック表と、旦那が提出する際の「まずこれを書いて、次にこれをコピーして……」という指示書まで作成していました。産後すぐに全てを提出できたときには達成感がありました。

　また、自分の実家は少し遠かったので、近かった旦那の実家で産後1カ月間、お世話になりました。一人で抱えこんで苦しくなる前に「助けて〜」と気軽に甘えよう、と決めていました（図太い）。でも私が助けを求める前に、「置いておいてね、やっておくから！」「食べていてね、抱っこしてくる！」と育児に協力してくださいました。

　三人での生活が始まると、「暇があれば寝ること！」という周囲のアドバイスを元に昼寝を大切にし（笑）、家事はある程度にして、ふわふわのわが子を見て楽しみながら生活しました。

（平野）

産後は毎回、実家に里帰りしていました。実母が身の回りの全てをお世話してくれ、至れり尽くせりで助かりました。ただ、自宅に帰ってからの初めての子育てには夫と二人であたふた。帝王切開の傷も痛むし、日々寝不足で、子育て以外のことには何も手が付かず、一人の人間を産み育てるということはこんなに大変なことなのかと思い知りました。

第二子出産時は夫にも少し余裕ができ、私が入院中の間、長男と自宅で男二人暮らしでした。夫が冬休みだったこともあり、この時の里帰りはほんの1週間ほどで、すぐに自宅に帰りました。夫は仕事と長男のお世話で大変だったでしょうが、男二人で乗り越えてくれた様子を見て、二人が少したくましく見えました。子どもを産むごとに夫の育児能力がパワーアップしている気がします。子どもたちもよく夫になつき、三人ともパパっ子です（ママは少し寂しい）。子どもたちとたくさん関わり、育児も家事もこなすスーパーパパには感謝です。（小崎）

自宅に帰ってからは子育て以外
何も手に付きませんでした。

命を育てる重圧や責任感を実感し ボロボロの毎日でした。

教師をしてるし、わが子たった一人の子育ては楽しめるだろうと思っていました。しかし、想像していた子育てとは裏腹に、髪の毛ボサボサ、すっぴんで曇った眼鏡、寝れない、気力なし、体ボロボロの毎日でした。精神が壊れる、思わぬ行動をしてしまうというのが少しわかった気がします。いままで「児童虐待をする親は悪だ！」と思っていましたが、命を育てる重圧や責任感からくるものもあるのかもしれないと思うようになりました。これからは、目の前の子どもの親、家庭環境、目に見える部分だけで判断するのではなく、その背景や思いも含めて寄り添って考えていきたいと思いました。

子どもの健やかな成長には、大人の心と体の健康が大事。「子育ては団体戦」と、よく母が言っています。周りの人や公共機関の力を借りて子育てをすることは何も悪いことじゃない。母として、教師として自分だけで頑張ろうとせず、たくさん助けてもらって、たくさん助けようと思いました。（吉田）

第2章

7

育休中はどんな風に過ごしていましたか？

わが子とのゆったりした時間を大切にして過ごしました。

娘

たちが生まれたこと、生きていることは奇跡だなと思って過ごしています。「この子が私の子なんだなぁ」と何時間でも眺めていられます。妊娠中、「復帰後のことを考えてもいいけど、まずは自分のお子様との時間を大切にね」と先輩先生が伝えてくださいました。資格を取ろうかな、とか本を読まなくちゃいけないな、と焦る気持ちにもなりましたが、わが子とゆったりとした時間を過ごせるのも一生のうちでいまだけかもしれないと思い、結局、復帰後のことは復帰直前になってから進めました。それで後悔はしていませんが、自分に合った過ごし方について考えると良いと思います。

また、復帰直前に、「ママ先生の会」の運営を始めました。ママ先生なら誰でも入れる会で、毎週オンラインで話をしています。現在は２６０名ほどの会になりました。たくさんのママ先生が頑張っている、という仲間の存在は心強いです。

（平野）

教職3年目に入ったので、当時は同僚や同期にも同じ境遇の方がおらず、本当に困りました（書類の書き方、給付金の申請方法、管理職への相談の仕方など。誰か出産マニュアル作ってくれい！　と何度も思いました）。育休に入っても、息子と過ごす日々は大切な時間のはずなのに、周りに置いていかれた気がして不安でいっぱいでした。

そんなとき、自分にも何かできることはないかと、ありのままをInstagramでアウトプットし始めました。そこから全国の育休ママ先生と出会い、つながりができました。子育ての不安や復職への悩みなどを共感できる仲間ができたことはすごく心強かったです。オンラインでのつながりですが、育休中に出会ったみなさんは私の同志です。育休中はｚｏｏｍで定期的に集まり、学び合いました。復帰したいまでもつながりがあり、このご縁は大切にしていきたいなあと思っています。（小崎）

**Instagramでアウトプットを始め
ママ先生仲間とつながりました。**

完全に仕事から離れて育児に専念。後半は断捨離をしました。

育休は約一年間いただきました。ネットでいろんな情報が手に入り、助けられることもあったけど、落ち込んだり、焦ったりすることもありました。知らぬ間に他人の子どもと比べてイライラしたりしている自分に気づきました。子育てに正解はない。親の得意不得意、環境や背景、考えもそれぞれ、そして子どもも十人十色なので、子育てもそれぞれだと思い、自分と家族と娘のペースでいこうと思えるようになりました。

育休中は、完全に仕事から離れていました。育休前期は育児のみ（育児に必死）、育休中期は、買い物や児童館に出かけたり、娘の昼寝中に好きなことをしたりして過ごしました。育休後期は復帰に向けて暮らしを整えることを意識していました。この時期に断捨離をしたことは、いまになって本当に良かったと感じています。復帰直前はとにかく不安で、朝夕の過ごし方のシミュレーションをしていました。慣らし通勤は一週間やりました（笑）。

（吉田）

第2章

8

保活はどのくらいしましたか？　また、どうやって選びましたか？

保育園は10園以上見学してわが子に合ったところを探しました。

希望の保育園をどこにするか、これを考えるのは復帰ママの大きな課題の一つだと思われます。私は「認定」、「認証」、「認可」などの言葉の違いすら知らなかったので、それらの言葉の違いや、自分の住む自治体のどこにどんな園があるのかを把握するところから始めました。

結局11の園に見学に行きました。自分の子どもを預ける上で大切にしたい視点は何かを考えてから見学しました。わが家は、家からの距離、園の方針、保育時間を主な視点としていました。また、「大規模園ならいろいろな子と関われるから楽しいかな。小規模園なら先生や他の友達との距離が近くていいかな」「行事は土日の方が参加しやすいかな、いや、土日だと勤務校の行事と被ったら行きづらいかな」など、自分の働き方、そしてわが子のタイプに合っているか照らし合わせ、選ばせていただきました。

（平野）

私の住む自治体は、共働きでも保育園に入れない保活激戦区です。情報を集め、様々な可能性を想定し見通しをもつことが保活成功の秘訣だと思っています。

保育園を選ぶ条件としては、園の雰囲気、家からの距離、教育方針は必ず保育園見学時に確認していました。認可外保育園にも目星をつけ、長男と同じ保育園に通えなかった二人目は一時期、認可外保育園に通っていました。三人目の保活のときも役所の方に「こんだけ頑張ったんやから落ちても何にも悪くない。何とかなるよ」と言っていただき、必ず復帰しなければと思っていたので、安心したのを覚えています。現在は三人とも同じ園に通うことができています。

保活は育休中だった私の担当でした。夫に相談はしていましたが、見学や書類作成なども夫と一緒にやっていればもっと当事者意識が芽生えたのかも……。

（小崎）

情報と見通しが保活成功の秘訣！
いまでは三人同じ園に。

保育園に全落ち。必死に空きを探して認可外に決めました。

共

働きのわが家、保育園には入園可能だと思い込み、大した下調べもせずに書類を提出しました。すると仕事復帰の2カ月前。希望の園に全て落ち、待機児童の通知を受け取り愕然。そこから夫と必死に保育園の空きを探しました。電話をしたり見学に行ったり……「どこでもいいから預かってー！」と思ったほどです。でも、見学に行くと、環境や保育の内容に思うことも多々あり、一番いいなと思った認可外の保育園に決めました。

小規模の保育園で、保育士の先生の数も十分、洗濯を園でしてくれる。おむつもまとめて園で購入のため、毎日の荷物は先生とやり取りする育児日記のみ。準備が必要なく、荷物も少ないのは本当にありがたいです。また、土日祝日も預けられるのは、行事等があるとき、自分時間が欲しいときにとても助かっています。認可外の保育園も全然悪くない！　見学をして納得がいく場所に決めたことは、毎日の安心につながっています。**（吉田）**

第2章

9

保育園生活のスタートはどんな感じでしたか？また、保育園に通う上での心構えはありますか？

心配はありましたがわが子は笑顔で通ってくれています。

「楽しく元気に通えていればそれで良い！」と思っていましたが、下の子は特にママ一番！　の子なのでやはり心配はありました。ですが、園の先生方が愛情をもって接してくださることが伝わってきました。わが子もそれを感じるようで、笑顔で話をしてくれます。疲れて迎えに行っても、園の先生方から「こんなことがあったんですよ！」とお話ししていただくと癒されます。心配しすぎることはなく、どんと構えていても良かったかなと思いました。

心構えは、「子どもが体調を崩すという事態はいつかは来る」と理解しておくこと。いつかと思っていても、いざ直面すると慌てました。すぐに旦那と相談して、いまからのお迎えはどうするか、明日も休みならどうするか決定します。できるだけ「丸一日どちらかが仕事を休む」とならないように、午前か午後は出勤できるよう夫婦で調整します。

（平野）

激戦保活を乗り越え、保育園さえ決まればゴール！　という気すらしていましたが、ここからが本番でした。復帰後の4月と、一カ月弱ある慣らし保育が忙しい時期と丸かぶりで困りました。また、長男は行きしぶりがひどく、泣かずに行ける日が来るのだろうかと思ったほどです。下の二人が保育園に行き出すと、手を引っ張って行ってくれるほどに頼もしいお兄ちゃんになりました。保育園の先生にたくさん助けてもらって（特にママが）、子どもたちは楽しく過ごせています（イヤイヤ期の息子をやっとの思いで保育園に連れて行き、先生がサッと引き取ってくれたときは神様かと思いました）。

　夫との役割分担は、保育園の準備、オムツハンコ押し、集金準備、スケジュール共有アプリへの保育園予定入力などは私、連絡帳記入は夫、送迎は二人で行っています。

（小崎）

入園はゴールではなくスタート。
たくさん助けてもらっています。

ファミサポさんにもお世話になり、娘はグンと成長しました。

朝は保育園の送りも含めて夫がワンオペ。その代わり夕方はお迎えから私がワンオペです。午前中が割と大事なこの仕事、朝、子どもを夫に任せて出勤できるのはとても助かっています。しかし、復帰直後の4月は夫も仕事が忙しく、娘の朝の送りはファミサポの方に頼んでいました。朝7時にわが家にファミサポさんが来てくださり、玄関で娘とバイバイして、私は学校へ出勤。とても親切で、安心してお願いできました。

はじめ、保育園に娘を預けるときは、わが子よりも私たち夫婦の方が泣きそうになっていました。でも、保育園で栄養満点の給食を食べたり、すぐにお昼寝してしまうくらい遊んだり、保育士さんからの愛情をもらったり、たくさんお友達ができたり……育休中に母と二人では経験できなかったことをたくさん経験していて、保育園に行き始めてグンと成長したように感じます。

（吉田）

COLUMN 01

忙しいママ先生向け！
おすすめアプリや機能！

【写真の保存】アプリ「Google photo」を入れています。膨大な量の写真を保存してくれるので、スマホが急に壊れたり水没したりしても慌てません。ちなみに、友人は充電しながら写真のバックアップができる機械を使用しています。

【LINEの機能】「リマインくん」を友達追加するだけで、次のやりとりが可能です。「週案を提出！」『覚えたよ！いつ教えてほしい？』「○月△日14時30分」『じゃあ○月△日14時30分に言うね！』これで設定した日時に「週案を提出！」とLINEが来ます。このリマインくんのおかげでtodoを忘れずにこなすことができます。「毎週」や「10分スヌーズ」という設定もできてとても便利です。

【家計の管理】「マネーフォワード」や「お金のコンパス」などのアプリで家計管理をしています。全ての口座やカード情報を入力してあるので情報を一元化できて見やすいです。

（平野）

第3章

働き方の変化

第3章

10

復帰が不安で仕方がありません。実際のところ、どうですか。

大丈夫！何とかなる！

同じく、私も復帰が不安で仕方がありませんでした。復帰したいま、お伝えしたいのは「大丈夫、何とかなる！何とかならなくても、何とかなっていく！（笑）」です。復帰してどんな毎日になるのか想像がつかなくて不安でいっぱいでした。でも、まわりの方に助けてもらいながら、何とか頑張れています。もうどうしてもうまくいかないときは、早目に誰かに相談してみると良いと思います。

また、私は初めから「フル復帰」「学級担任」を希望し、実際にそうなりました。時短や専科の働き方はしたことがないので不安を抱きながら働くよりは、フル復帰で学級担任の方が経験がある分、進めやすいのではと感じたからです。これは人によると思います。復帰後に初めての仕事をしているママ先生は、「新鮮で楽しい！」と話しています。様々な事情と照らし合わせて考えるといいかと思います。

（平野）

正直しんどいです（笑）。でも、社会に必要とされ、自分の好きなことを活かせる仕事って本当に楽しいです。復帰してから夫にも「楽しそうだね」と言われました。家族の協力必須！　です。特に夫。夫が私と正反対の穏やかなタイプの性格なので家庭が安定し、なんとかやっていけているのだと思います。

また、職場の方にもたくさん助けてもらっています。子どものお迎え要請で急に出ないといけないときも、「早く帰ってあげてね」「家族が最優先！」と、温かい言葉をかけていただきます。自分もいつかは誰かの助けになれるように、いまは蓄えの時期だと思って帰らせてもらっています。

復帰時には、時短や部分休業も考えましたが、会議や児童の対応などで実際は帰れないことが多いと聞きました（自治体や学校によると思います）。それよりも、勤務時間精一杯働いて、定時で帰るという働き方が私には合っていたみたいです。

（小崎）

職場で温かい言葉をかけていただき何とかやっています。

家庭と仕事で切り替えができてとても楽しく充実感があります。

自分には、正直、働きながら子育てをする方が向いているな。と思います。もちろん周りの方々に力をお借りしていることは重々承知です。復帰して、「育休中のママってすごいなぁ～」と思うことが何度もありました。育休中は、わが子とずっと一緒で、昼寝の時間も確約されていないし、機嫌にも左右される、計画通りなんていかない、大人と喋る時間が激減。夫に求めること、期待することも多かった気がします。家事育児からは合法的に逃げられないのです（涙）。

一方、仕事中は自分でコントロールできる時間。育児のことを忘れて没頭でき、仕事が終わると娘のことを考える。メリハリがつけられて、とても楽しく、充実感があります。また、仕事でうまくいかないことがあっても娘の存在に、とっても癒されます。家に帰って仕事のことを考えることがほとんどできないので、落ち込んだらしばらく引きずるタイプの私にとっては、気持ちの切り替えができてすごくいいです。

（吉田）

第3章

11

校務分掌や学年で、ママ先生におすすめの仕事はありますか。

自分自身がどこに適しているのか働き方と併せて考えてみては。

急にお迎えが必要になることを考えると、「この日までにこれを仕上げなければ行事が成り立たない」「この日に必ず学校にいないといけない」というような校務分掌では厳しいときがあります。行動や時間に制限のあるものは避けておくと良いかもしれません。

とは言っても、仕事を任せていただくのはありがたいことなので、その場合は見通しをもち、先手先手を考えておくと良いと思います。また、どの学年・学級でも、難しさと良さの両方があると思います。例えば、小学校低学年は急なお休みで自習時間が長過ぎると難しい学年ですが、6時間目がなくその時間に仕事ができます。高学年は、ある程度自習になっても集中しますが、6時間目まで授業のある日が多く宿泊行事もあります。復帰に適した学年・学級がある、というより自分がどこに適しているのか、働き方と照らし合わせると良いと思います。

（平野）

長男は喘息の持病があるので、月一回、定期検診のため通院しています。子どもたちはまだ小さいので頻繁に体調を崩します。三人いると時間差で体調を崩すので、仕事を休まないといけない期間が長くなってしまいます。また、保育園の送り迎えに行かないといけないので、朝は遅く、帰りも早く帰宅しないといけません。

こういった家庭の事情で仕事を早退したり、休んだりすることが多くなると思ったので、今年度は学級担任から外してもらいました。

管理職には復帰時の面談で、家庭の事情を細かく伝え、あらかじめ担当や校務分掌を配慮していただきました。また、今年度は復帰と同時に転勤だったので校務分掌もほとんどありませんでした。しかし、部会内の仕事や、ゴミ捨てなどの雑務は積極的にしようと心がけています。

（小崎）

転勤先で管理職に相談して担任から外してもらいました。

どの学年も一長一短ですが担当したことのある仕事がおすすめ。

復帰1年目のいまは、2年生の学級担任をさせていただいています。復帰前に学校に希望を出す際に、周りの先輩ママ先生たちに、何年生担任で復帰するのがいいのか相談しました。いただいたご意見を紹介します（小学校の場合）。

「高学年は、自分たちでできることが多く、任せられる。そして専科の授業もあるから代教が組みやすいよ。ただ、下校は遅いし、宿泊もある。委員会などの役割も多くなるよ」「低学年は、下校が早く、授業内容も難しくない。ただ、教師の手がかかるよ」とのことで、一概にこれがいい！　とは言えません。どの学年も一長一短だし、学校や地域にもよると思います。また、楽な仕事はないと思います。

ただ、一つ言えるのは、校務も担任もどちらも初めての担当になるのは少し負担かもしれません。やったことがある学年や校務であれば、一年の見通しが立ちやすいので、希望を出すときには担当したことがあるところをおすすめします。　（吉田）

第3章

12

ママ先生になってから、仕事で意識したり改善したことはありますか。

ストックをしておくことと付箋に書かずに即提出！

常に「もっと効率の良い方法は何だろう」と考えるのが好きなのですが、復帰後は時間の制限があるため、さらに意識するようになりました。4月は、学期初めで忙しいのですが、何とか時間を作って、一年分の仕事のストックに取り組みました。例えば、給食当番や掃除当番の分担表作り、漢字ミニテストの印刷などです。何度もある訳ではないので4月にほとんど作ってしまいます。

　また、何か提出が必要なとき、私は付箋に締切日を書いて貼っておくことはしません。提出が必要な資料があればすぐに取り組み、即提出するからです。すぐにやれば忘れないし、期限も守れるし、付箋に書く時間も削れます。どうしてもすぐに取りかかれないときだけ付箋に書いて机に貼ります。「机の上をスッキリさせたい」と付箋をはがしたくなるので早く処理できます。

（平野）

自分の子どものことで同僚には迷惑をかけることが多いので、「先取り仕事」を心がけています。また、①人と関わる仕事は最優先にする②仕事の抜け漏れがないようにする③「報連相」は必ずするということを意識して働いています。

まず、①アンケートや締め切りがあるものはすぐに提出します。他の先生方と事前に打ち合わせをしたいときはスケジュールを押さえておきます。先生方もお忙しいので、事前に話しておくと相手も意識してくれます。②仕事の抜け漏れに関しては、手帳にＴｏｄｏリストを作り管理しています。手帳に向き合う時間は、頭の中を整理し、アイデアを書き留める私の大切な時間です。また、③同僚の先生には、小さな出来事でもすぐに報告・連絡・相談をするようにしています。お迎え時間のリミットがあり、長時間話し合いができないので、前もって〝報連相〟を心がけ仕事を細かく分けるようにしています。（小崎）

先取り、Todo、報連相……抜け漏れのないように意識しています。

「鉄は熱いうちに打つ！」と段取りを大事にしています。

「鉄は熱いうちに打つ！」を大切にして働いています。たくさんの子どもを相手にする仕事。「後でやろう」と思っていても、次々にいろいろなことがあり、忘れてしまったり、指導の効果が落ちたりしてしまいます。例えば、宿題の丸付けや朱書きに追われてしまい、目の前の子どもたちと落ち着いて話ができなかったり、成長を見逃してしまったりするのは本末転倒。なので私は、その場その場でできる限りのことをするようにしています。すぐにほめる、すぐに指導する、すぐに評価をする……など、詳しいことは次の項目でお伝えします。

そして、とにかく段取りが大事。隙間時間でできることは何か、やりすぎていないか、本当に子どもたちのためになっているのか。時間をかければかけるだけ効果があるものなのか。もちろんこだわるポイントは人それぞれ（私も変なこだわりポイントがあります（笑））ですが、メリハリをつけて仕事をするようにしています。

（吉田）

第3章

13

仕事を時短するには、どんな工夫がありますか。

わかりやすく楽しい授業で“学級が落ちつく”ことが一番の時短！

一日の大半の時間は、授業です。わかりやすく、楽しい授業をしたり、授業の中でほめたり認めたりすると、子どもたちの心が落ち着くように思います。この「授業をわかりやすく、楽しくする」、これが最も時短につながるのではないかと思っています。子どもたちの心が落ち着くと学級自体も落ち着いてトラブルが減ります。トラブルがなければ、学年の先生方や保護者への報告、それらの記録の必要がありません。時短というよりイレギュラーなことがなくなります。そうなるよう、教材研究や落ち着いた学級経営に一生懸命取り組みます。

また、「子どもたちと作業する」ことが多いです。絵や習字は一緒に貼ります。番号順に並べる、学級に伝言をする、などのお願いすることもあります。放課後に自分で全て行う必要がないのでとても助かります。

（平野）

時

間内に仕事を終えられるように、ＩＣＴ機器に頼ることにしました。Apple製品が好きなのですが、買って良かったのはiPad miniとApple Watchです。

教材はiPadで作ります。テストやプリントなど、型になるものを一枚作れば問題や挿絵を入れ替え、コピペでどんどん作っていけます。iPad miniは軽いし小さいので持ち運べて便利です。普段、学校ではサコッシュに入れていて持ち運んでいて、隙間時間があれば、教材を作っています。

Apple Watchでよく使う機能はリマインダー機能です。仕事のし忘れ防止です。iPhoneで設定し、時間が来たらApple Watchに通知が来るように設定しています。同時並行で仕事をしていると、すぐに忘れてしまい「後でやろう！」と思ってついつい忘れてしまいます。ほんとに自分の記憶力が信用できません。リマインダー機能を使い、未来の自分に通知するようにしています。

（小崎）

ICT機器を駆使して
隙間時間にさっと教材作成
します。

常に心の余裕をもって“良い加減”を見極めるようにしています。

時短の工夫①学校に子どもたちがいる時間は、掲示や、提出物を数えたり並べたりするのを手伝ってもらうなど、教室でできる仕事をし、放課後の職員室では基本的に校務をします。②宿題は早めに返却するようにします。そのためには宿題の量や内容の調整は必要。自分のためにも宿題は少なめです。③チェックの仕方も、ハンコや赤ペン一本で済むように丸付けやサインに段階を設けたり、良い字には花丸を付けるなど、短時間で見ることができて、子どもたちもやる気が出るような工夫をします。④テストはできた子からその時間に丸付けをし、その日に返します。溜めてしまうと消化するのに気合いがいるのと、学習効果も薄れる気がするからです。

心の余裕をつくるために、〝良《い》い加減〟を見極めて仕事をするようにしています。

（吉田）

第3章

14

子どもの急な発熱などにそなえて、どんな対策をしたら良いですか。

その日にやるべきことは朝のうちに処理しておくと安心です。

覚悟はしていても、「保育園から電話です」という一言に、焦りや申し訳なさや心配など、いろいろな気持ちがが押し寄せます。そのときに、「宿題を見終わっていないし、自習課題もない」という事態は避けたいと思っています。自分がやっていなかったら、どなたかにお願いしなければならず、その説明も必要です。

私は学校に到着してその日の予定を確認したら、すぐに教室へ行き、できる限りのことをします。登校してきた子どもたちの表情を見ながら、宿題チェック、返却、提出物の回収。朝の会でその日伝えるべきことを全て伝え、配布物を渡します。その日中にやらなければいけないのなら、後に回さず朝に集中させて処理しておく、ということです。これらは、急なお迎えがなくても普段から意識しておくと、余裕が生まれます。また、自習課題は常に用意し、わかりやすい場所に置いておき、取り組めるようにしています。

（平野）

家で子どもたちが寝られていないな、食べられていないなと感じたら、体調を崩し始めたサインです。以前は、子どもの体調の変化に気づかず、長男のときは何度か入院しました。ひどくなる前に定期的に耳鼻科に行く、季節の変わり目は念のため吸入をしておくなどの対策はしますが、どうしても子どもの体調が悪くなりそうなときは、夫婦で仕事のスケジュールを共有し、熱が出てもどちらかが仕事を休めるように調整しておきます（同僚にも、もしかしたら休むかもと伝えておきます）。

日頃から先取り仕事をして、誰にでもわかるように共有しておくと、万が一、休んだときも迷惑をかけるのは最小限で済みます。病気のときも飲み食べできる、パウチのゼリーやジュースなどは家にストックしています。病院の診察券はiPhoneの写真フォルダのお気に入りに入れておき、熱でお迎え要請があったときでもすぐに病院のネット予約ができるようにしています。

（小崎）

予防はしますが、いつでも対応できるようにそなえています。

担任不在でも成り立つような学級経営を心がけています。

教師がいなくても、なるべく自分たちで過ごせる学級経営をします。それぞれがクラスのために何ができるか、どうしてするのか、とにかく考えさせるようにしました。ルールばかりに縛られた学級経営ではなく、子どもたちが自分で考えて、モラルで動けるような声かけや指導をするようにしています。

校務では、自分で管理できる仕事は、本当の締め切りの前に自分の中の締め切りを設定するようにしています。早目早目にしていくことで、急にお休みすることがあっても、周りの方々への負担を少なくできるように心がけます。

また、いままで成績シーズンに集中していた仕事を、分散してするようになりました。子どもの良いところはすぐにメモ。空き時間にちょこっと所見を入力したり、懇談会で話したいことを考えたりします。

（吉田）

第3章

15

残業を避けるためには、どんな工夫があるのでしょうか。

即処理、先取り、見通し。自分のモチベーションも大事！

仕事の改善や時短の工夫でも通ずるところがありますが、ポイントは三つあります。

①即処理する。他の先生方にお願いされている仕事、提出物、子どもたちへのアンケートなどは特に、すぐに取りかかります。

②先取り貯金をする。給食当番、掃除当番の表、週案、教材研究など、先取りできるものは可能な限りしておきます。

③見通しをもつ。今日、1週間、1カ月、1学期と先までスケジュールを確認し、行事は何か、時間割通りではない日はないか、伝えるべき持ち物、など見通しをもちながら確認します。

そして放課後、職員室でこの三つを意識して仕事に取り組みます。他の先生方に関わる仕事を第一に優先し、自分の学級のみに関わる仕事は一番最後に回します。退勤時間前に自分の仕事に辿り着けたら、自分にご褒美をあげると決めておき、モチベーションを高めながら楽しんで仕事するようにしています。

（平野）

手帳を使って見通しをもつようにしています。頭の中を整理して、アイデアを書くときには、デジタルよりも手書きのほうが進むんですよね。人に関わる仕事が最優先で、学校にいるときは、打ち合わせや児童・保護者対応をします。

まず、出勤して最初にすることはその日の予定の確認。何かすることがあればその予定を中心に自分の予定を組んで、隙間時間もiPadを使いながら無駄にせず、一日を過ごします。放課後にはその日中に必ず終わらせないといけない仕事を優先し、お迎えまでの時間が余れば手帳に書いたチェックリストを優先順位が高い順からこなしていく、という感じです。同僚と雑談する時間もあまりないのですが、打ち合わせをしたいときは週の初めに、担当の先生に「こんな打ち合わせしたいです」と伝えてアポを取っておきます。相手も私も都合が良い時に話ができます。ちなみに、手帳は「スクールプランニングノート」です。

（小崎）

手帳で予定を確認して優先順位を決めてから仕事を始めます。

仕事の段取りをしっかり決めて早めに終わるようにしています。

家

で仕事はほぼできません。というより、仕事をしないように心がけて、限られた時間の中で、どのようにすれば仕事が終わるのか、勤務時間内に頭をフル稼働させながら模索しています。特に「仕事の段取りを組む時間をしっかりとること」と、「整理整頓をすること」を大切にしています。

この仕事は、子ども同士のトラブルや体調不良など、突発的なことがたくさんあります。自分がコントロールできる仕事はいつどのタイミングでやるのか、なるべく先まで見通して、早めに終わるように段取りをします。

自分がいっぱいいっぱいになってくると、それは段取りを見直さなければならない合図。何を優先すべきか、隙間時間でできないか、しなくても大丈夫なことはないか、など段取りを組み直します。また、物はなるべく必要最小限にします。探し物をする時間が減るだけで時短になります。

（吉田）

第3章

16

子どもができたら、教材研究はいつできるのでしょうか。

GWや夏休みにまとめて取り組み 土日に来週分の確認をします。

私は、長期休みに集中して、一気に教材研究をしています。

4月は、すぐに教材研究を始めないと授業が始まってしまいますので、土日に教材研究をしつつ、平日の授業を行います。

GWは1学期分の教材研究に取り組みます。そして、夏休みに入るとかなり先まで教材研究をします。先の先まで考えながら教材研究に取り組むと、「これを準備しておけばもっと楽しい授業になるかもしれない！」とワンステップ上の準備が可能です。以前は、直前や授業後に「あれを準備しておけば良かったな」と思うことがありましたが、かなり先まで教材研究をするようになってからは「準備しておいて良かった！」と思えるようになりました。土日にもう一度確認して、一週間を過ごします。また、余裕のあるときに他の先生の授業を見に行かせていただいたり、どう授業するのかを聞いたりしています。

（平野）

基本的には学校にいる間に教材研究をするようにしていますが、どうしても終わらないときは自宅で子どもたちを寝かしつけてからするときもあります（現在は、支援学級の担任なので、全体の仕事量や負担は少ないですが、日中の隙間時間はあまりありません。担当児童が重度な子な場合、目を離すことができないからです）。

デジタル教科書をiPadで見られるようにしていて、他の書類もＰＤＦでiPadのファイルに保存しています。これらのファイルはiCloudに保存しているので、iPhoneでもiPadでも見ることができます。iPadがあれば、グッドノートやプロクリエイトのアプリを使って教材研究がいつでもできます。また、プリントやテストの型を一枚作っておけば、いろいろな教科で応用できるので、iPadでの教材作りは便利です。できるときにできる限り、まるっと一単元分くらいまとめて終わらせてしまいます。

（小崎）

基本的には勤務中ですが
自宅ですることもあります。

休み時間に確認したりスマホで指導書を見たりしています。

教師として一番すべきことが教材研究。わかってる、わかってるんです……ただ、しなければならない業務が他に多すぎて、毎日の授業準備に割く時間が本当に短くなってしまうのが現実です。そのため、長期休みを利用してなるべく先まで、ざっと指導書を読んでおく、見通しを立てておく、大事なポイントを絞っておく、などをしています。

また、休み時間に明日の授業内容を確認したり、指導書をスキャンして娘の寝かしつけをしながらこっそりスマホで指導書を見たりすることも……。満足がいくまでしようと思うと、きりがないのが教材研究です。同僚の先生と情報共有したり、教材を貸していただいたりすることも大事だと思います。また、ネット上にもたくさんの指導案があふれているので、その中から自分がやってみたいものを試すのもいいと思います。自分の得意な教科はしっかり、他はざっくり、など軽重つけるのもいいのではないかな、と思います。

（吉田）

第3章

17

ママ先生になって、保護者との関わり方は変わりましたか。

学校の様子を伝える機会を意識的に増やすようになりました。

私は子どもたちがかわいくて、大好きで、そんな大好きな子どもたちを育てている保護者の方も大好きです。連絡帳でのやりとりや、たまたまお会いできた時にいただいた一言に元気をもらっています。いま、コロナ禍で保護者の方とコミュニケーションがなかなかとれません。ですが、そんな中でも保護者の方が安心して子どもたちの生活を見守っていただけるように、「知る」機会を増やせるように意識しています。学級通信を発行したり、頑張りが目立ったときに一言書いてお知らせする、別件で電話連絡をした際に最近の頑張りを伝える、などです。

自分が保護者になってみて、やはり先生方からの報告というのはとてもありがたいです。私の場合、毎日保育園のお迎えがあるので、そのときに先生方からお話を聞けています。学校はそうではなく学校生活が見えづらいので、少しでも知る機会を増やせるようにしています。

（平野）

マになった強みは、保護者の方の気持ちを理解しやすくなったということだと思います。出産して、子育てして、実際に経験してわかるようになったこともありました。夜泣きして、寝てくれなくて、ご飯を食べてくれない……そんな中、ここまで子育てしてきた保護者の方をより尊敬するようになりました。

　そんな保護者の方とのコミュニケーションで気をつけていることは、子どものことを一番よく理解しているのは保護者であるということを伝えること、学校の様子はできるだけ伝えること、連絡帳だけでなくいろいろな手段を使って子どもの頑張りを伝えることです。伝える内容によっては電話をしたり、直接会って話をしたりします。本来ならできるだけ顔を合わせてお話をしたいものです。

（小崎）

子育ての先輩として尊敬しコミュニケーションをとっています。

保護者と教師は「共に育てる仲間」。そう思うようになりました。

「保護者に媚び売らないのよ」。初任者の頃、保護者との電話を切った直後に主任に言われた言葉です。思い返せば、私は子どもにも親にも好かれようと必死でした。学校でトラブルがあっても事実をオブラートに包みすぎたり、相手の言ってほしいことを考えて子どもをかばったりほめたりしていたように思います。

保護者の立場になって思うのは「信頼できる先生にわが子を見てほしい」ということです。媚びを売られているとわかると信用できないし、オブラートに包みすぎていてはどうすればいいのかわからない。自分が子育てをするようになって、保護者と教師は、「子どもを共に育てる仲間」だと思うようになりました。事実をきちんと伝えて、一緒に悩んで考えていく。日々の出来事にまっすぐ向き合い、その積み重ねで、しっかり信頼関係を結び、保護者とともに子育てを楽しんでいきたいと思うようになりました。

（吉田）

第3章

18

ママ先生になって、同僚に迷惑をかけないか心配です。

迷惑をかけた分は仕事で返す！積極的に仕事を引き受けます。

子どものことでお休みをいただくと、どうしても同僚の先生方に対応をお願いしなければいけない場面が出てきます。常に、申し訳ない気持ちと感謝の気持ちでいっぱいです。皆さん温かく「大丈夫ですよ！」「大変だね、気にしないで！」とおっしゃるのですが、どうしてもご迷惑がかかってしまいます。ご迷惑おかけした時間をそのままお返しすることはできないので、これは仕事で返すしかない、と思っています。

復帰してから、テキパキと仕事をこなされる先生方と一緒に仕事をしているのでなかなかお返しすることができないのですが、「これ頼めるかな？」「お願いがあって……」と言われたら喜んで引き受けるようにしています。それでも全然お返ししたうちに入らないのですが、自分ができることを精一杯やっていこう、と思っています。そして「ありがとうございます」と、感謝の気持ちを伝えていこうと思います。

（平野）

同僚の先生方にはいつも助けていただいています。先輩の先生が、「子育ては交代やからね。迷惑とか思わんといてね。謝らんでいいからね。私だって子育てしてたときは周りの人にたくさん助けてもらって子育てしてきたんやで」と言ってくださって、すごく救われています。感謝の気持ちは仕事で返そうと思って、自分の無理しないでできる範囲でですが、得意なことややれることはできるだけ引き受けようと思ってます。

例えば、iPadで作成した教材や指導案もgive&giveの気持ちでお渡ししします。コミュニケーションも大切で、たまにお菓子を配りながら雑談し、仕事に対する姿勢や人柄を学んでいます。あいさつやお礼は必ず忘れないようにと意識していて、同僚の先生方とは一つのチームとしてお互いに気持ちよく働けるように心がけています。

（小崎）

コミュニケーションが大切！
あいさつやお礼も忘れずに。

他愛のない話をしたりしながら たくさん情報共有しています。

同僚、特に同じ学年の先生方とは、なるべくたくさん情報共有するようにしています。コロナ禍になり、学年で集まってする行事が少なくなった分、日々の学校生活で気がついたことを積極的に話すようにしています。少しずつですが他のクラスの子どもの名前も覚えることができます。その年の受け持つクラスや子どもが大変だとしても、チームワークのいい学年だと、本当に働くのが楽しいです。しんどいことや頑張ったこと、うれしかったことなど、趣味の話、ハマっているお菓子のことなど、他愛もない話をするのが好きです。

4月に学年の先生がわかってから、チームワークが良くなるために自分はどのような動きをするのが良いのか、模索しています。また、どんなメンバーでも感謝と尊敬の念は忘れず、どの先生からも学ぶべきことはあると思って、柔軟な心と頭で向き合い、謙虚でいることを大切にしています。

（吉田）

第3章

19

ママ先生になって、管理職との関わり方は変わりましたか。

常にお忙しいので何かのついでに短時間でお話しています。

育休が明けて同時に異動し、初めてお会いする管理職の先生方にお世話になりました。子育て中であることを理解してくださり、急にお休みをいただくことになっても穏やかに接してくださいます。明るく、話しやすい雰囲気を出してくださっているので、ちょっとしたことでも抵抗なく言いやすいです。ただ、管理職の先生方は常にお忙しいので、話があるときは、朝あいさつをするときや、提出物があるときについでにお伝えしています（余談ですが……お菓子を配るときは、近い席の先生方だけでなく、管理職の先生方の机にも行って配りに行くと、雑談ができることがあり楽しいです）。

また、育休中、何かの手続きが必要な場合は、事前に迷惑にならない時間を電話で伺い、その時間ぴったりに行き、短い時間で済ませられるようにしました。また、運動会や年度末には、お菓子やジュースなど、日持ちして場所を取りすぎないものをお渡ししていました。

（平野）

一度目の復帰のときは、周りに迷惑をかけてはいけない、与えられた仕事以上のことをしないといけないという焦りから、管理職から言われたことは何でもやります！　状態でした。しかし結局、自分を苦しめるばかりか、仕事も遅れ、周りにも迷惑をかけることになってしまいました。特に犠牲になったのは家族で、申し訳なかったなと思っています。

そこで二度目の復帰の際には、前回の反省を活かし、まず管理職との面談で、自分のいまの状況（家庭の状況を特に詳しく）を伝え、ここまではできますがこれ以上は厳しいということ（保育園の送り迎えがあるため時間に制限があること、子どもの体調不良できっと休む日があり仕事に穴を開けること、子どもの状況によっては部分休業もありえること等）を伝えました。また、現在は子育てに重きを置きたいが、ゆくゆくは担任ももちたい、こんなキャリアを積んでいきたいということも伝えました。

（小崎）

面談でいまの状況を伝えて配慮していただいています。

少しの時間でも見つけて お話するようにしています。

放課後は、管理職の先生方も、いろいろな先生方とお話しされており、私自身も早く帰らなければならないためなかなかお話しできる機会がありません。なので、下校指導に来てくださっているときや、休み時間、廊下でお会いしたときなどに、クラスの特に手がかかる子のことや、頑張っていること、困っていること、気になったことなどを少しの時間でも話すように心がけています。

管理職の仕事は経験したことがありませんが、きっと、私たち教諭が全く知らないような仕事がたくさんあるのだと思います。管理職の先生方がいろいろなところで配慮して、毎日気持ちよく働ける環境をつくってくださっていることへの感謝を忘れずにいたいと思います。もちろん、学校や教育現場が子どもにとっても教師にとってもさらに素晴らしい場所になるように、中堅の立場として遠慮せず意見していかねばならないなあとも思っています。

（吉田）

第3章

20

子どもができると書類が増えて、事務職員さんに手間をかけることが多くなりそうです。

疑問があったらすぐに聞き再提出のないようにしています。

縁

あって同じ学校に勤務している方と、楽しくコミュニケーションをとりたいと思います。先生方だけではなく、学校にいる職員の方とおしゃべりするのが、私は大好きです。事務職員の方ももちろんそうです。お金の計算や物品の管理、細かいところまでよく見てくださり……私はそういったことが得意ではありませんが、それをお仕事にされている方々なので尊敬しています。それでいて、間違えるとやさしく教えてくださったり、「お疲れ様」と声をかけてくださったりと、素敵な方々と一緒にお仕事させていただいています。

そんな方々が少しでもスムーズにお仕事できるように意識していることは、「わからなければ勝手にやらずに聞く」です。特に、提出が必要な書類や、保護者に関わる手続きに間違いがあってはいけないので、疑問に思ったらそのままにせずすぐに聞き、再提出する必要がない状態で提出するよう心がけています。

（平野）

事務職員の方、管理作業員さん、保健室の先生にはいつも助けてもらっています。関わりが少ないので、一日に一回はあいさつやお礼をすることなどをきっかけに自分から声をかけることを心がけています。

事務室や管理作業員室に用事があるときにはお菓子を持って行ってお話をすることもあります。するといろんなことを教えてくれます。学校のこと、地域のこと、児童のこと。管理作業員さんとはよくお話をしますが、学校全体を見ている方から学ぶことは本当に多いと思います。また、事務職員さんから依頼があった提出書類はなるべく早く仕上げて出すように心がけています（学校全体に関わることが多いので）。いつも必ずあいさつとお礼は忘れずに。

（小崎）

あいさつとお礼を忘れずに
時にはお菓子も持参して。

共に働く仲間であり 頼もしい子育ての先輩です。

苦手意識をもっているお金のこと。公務員は福利厚生が手厚いからこそ、お金に疎くなってしまいがちです。事務の先生は、手続きやお金のことについてのプロなので、わからないことは納得がいくまで聞くようにしています。忙しいのに、一人ひとりにとても親切にわかりやすく対応してくださいます。子どもが生まれると、さらにたくさんの書類提出に追われます。出産や娘の保育園の手続きについても、目が回りそうでしたが、子育ての先輩としてもたくさん教えていただきとてもありがたい、頼りになる存在です。

どの人との関わりについても言えることですが、本を読んでじっくり学ぶ時間が取れない分、同僚の先生方の子どもへの接し方や、話し方、仕事の仕方や専門知識など、いいなと思ったことはどんどん真似をして自分に取り入れています。「学ぶ時間」が取れなくても、日々生きていく中で共に働く仲間や子どもから学べることはたくさんあります。

（吉田）

COLUMN 02

ママ先生×Apple

iPadの使い方については講座を受けたり、同僚やママ先生に教えてもらったりして時短な働き方を模索しているところです。

①iPad miniで教材やプリント作り

教材やプリントはiPad miniとApple Pencilを使って作ります。手書き派の私にはグッドノートやプロクリエイトのアプリは作業がしやすいです。

②ペーパーレスで書類の管理が簡潔に

職員会議の案件などの書類はPDFでiPadに保存しています。それをグッドノートのアプリに読み込み、書き込んだり、検索機能を使ったりして書類整理にかかる時間を短縮しています。

③データの保存はiCloudに

iPad⇄iPhoneのやり取りがしやすいようにデータはiCloudに保存しています。夫とファミリー共有できるプランに入っていて、Apple MusicやApple TVも使うことができます。

（小崎）

第4章

家庭での生活

第4章

21

お子さんと一緒の生活は、どんな感じですか。

一日に何度も「ぎゅ」をして笑顔で「おやすみ」をしています。

平日朝は1時間、お迎え後は3時間、計4時間ほど子どもと過ごします。朝、起きてぎゅ、「おはよう」と言ってぎゅ、短い時間で何度も抱きしめています。お迎えの時は、「ただいまー！」と言いながら、ぎゅ。帰宅後は10秒以上と長めに抱きしめます。「大好き！」と笑い合いながらするのがしあわせです。

ただ、どうしても私も子どもも疲れているのでイライラし、お茶をこぼされたり、訳がわからない要求をされて「えー!?」と叫んだりすることもあります。そういうときは、寝るまでには笑顔で「おやすみ」が言えるように気持ちを切り替えます。

休日は、平日に計画していた楽しいことを実行し、「楽しいね！」と盛り上げて過ごせるよう心がけています（家事は手を抜きます笑）。

（平野）

育休中とは全く異なり、平日にはほとんど子どもと関わる時間が取れません。朝の保育園に行くまでの1時間ほどと、帰宅後から寝るまでの3時間ほどです。子どもたちと関わる時間は少なくなりましたが、愛情は減っていないつもりです。お迎えに行ったらハグして、「会いたかったよー」と伝え、少しでも時間があれば一緒に遊び、濃い時間を過ごせるよう心がけています。

平日に一緒に過ごせない分、土日は朝から子どもたち中心で過ごします。午前中はお手伝い好きな3歳の長女と朝食を一緒に作ったり、長男と通信教育の勉強をしたりして過ごします。普段できない掃除や家事、家の仕事も終わらせます。午後は家族みんなで公園へお出かけし近所を散歩したり、車で少し遠くに出かけたりすることが多いです。

（小崎）

関わる時間は少なくても
濃い時間を過ごしています。

母のご機嫌が大事！お互いにwinwinを模索中。

平日の夜と土日は夫はほぼ仕事なので、私が娘と一緒に過ごしています。そのため、娘を優先しすぎて、自分のしないといけないことやしたいことが一切できなくなると、イライラしてしまうことが増えてしまいます。なので、自分も娘もwinwinになることを日々模索中。……でも、娘の機嫌が悪いなぁという日は潔く諦めます。最近は特にイヤイヤ期加速中のため、ただただ無で過ごすことも多いです（笑）。

平日は、娘と一緒にお皿や野菜を洗ったり、水やりをしてもらったり、一緒におやつを食べたり……。休日は気持ちに余裕があるので、姪っ子や甥っ子たちと遊ばせたり（私は姉妹とおしゃべりができる）ショッピングモールでアンパンマンのカートに乗せたり（私は買い物できる）、音楽をかけて歌いながらホットケーキを焼いたり（私のごはん作りが苦にならない）しています。もちろん子ども向け動画やテレビに頼ってその隙に家事を終わらせることも多々ありますよ！

（吉田）

第4章

22

家事の分担はどうすれば
うまくいくのでしょうか。

お互いが納得するまで話し合い料理全般とそれ以外で分けています。

わが家の料理担当の旦那は、冷蔵庫を見て残っている材料を把握し、献立を立て、買い物をして、料理をする、と料理全般を頑張っています。私の担当は、それ以外の食器片づけ、洗濯物全般、掃除全般です。料理かそれ以外だったらそれ以外のほうが負担が大きいと感じるかもしれませんが、私は片づけや洗濯物をたたむことにそこまで負担を感じません（しなくていいならしたくないですが笑）。逆に、旦那は料理が好きで、片づけは大きな負担だそうです。それなら、といろいろと話し合い、お互いが納得していまの形に落ち着きました。

実は、復帰前に話し合っていた分担とは異なります。復帰前に話し合う必要はありますが、復帰後こそ話し合うと良いと思います。お互いが納得した着地点で分担すると、ストレスなく過ごせます。

（平野）

復帰してから、いつのまにか主に家事は私が担当、その間の子どもの面倒を見るのは夫の担当となっていました。夫は私より家事ができる人なので自ら洗い物や掃除をしてくれましたが、なんとなく家事の負担量が均等ではないことが気にかかっていました。自分の時間もあまりとれず、私が少ししんどくなってしまいました。

そこで、復帰して半年後くらいに家事分担について話し合いました。実際にやってみて気づくことはたくさんあって、夫も家事の負担量について理解してくれました。

その後は、夫が以前より家事をしてくれるようになり、私はその間子どもと遊んだり、自分の時間を取ったりすることができるようになりました。夫婦でぶつかってけんかもしますが、その都度話し合いをして、家族の形を変えていけたらいいなあと思っています。

（小崎）

当初の分担でしんどくなってしまい復帰から半年後に見直しました。

感謝や愛を言葉にすることや相手にむやみに期待しないことが大切。

私の夫はプロレスラーです（急にびっくりさせてすみません）。そのため、土日はイベントでいないことが多く、帰りも遅いです。夫は料理が好き。私は片づけが好き。平日の朝は、夫が娘の食事と保育園への送り、ゴミ出しをしてくれます。あと、力仕事は張り切ってしてくれます（笑）。

私の夫はゴミを持たずにゴミ出しに行くことがあったような（天然で？）面白い人です。毎日笑わされます。でも、夫とは結婚してからぶつかることが何度もありました。もちろん子どもが生まれてからもです。そのたびに夫婦として成長してきた気がします。夫とは職業が違う、性格も違うからこそ、尊敬できたり、学ぶことも多いです。一番近くで子育てや生活を共にするパートナーだからこそ、お互いにきちんと感謝や愛を言葉にすること、伝え方や、相手の見えていないことに想いをはせること、そしてむやみに期待しないことに気をつけています。

（吉田）

第4章

23

時短でできる料理の工夫は何かありますか。

炊飯器料理がおすすめ！材料や調味料を入れてボタンを押すだけ。

時短料理は、炊飯器での料理です！ 育休中、主菜も汁物も、ずいぶん炊飯器に助けられました（肉じゃが、鶏大根、豚汁など）。復帰に向けて、電気圧力鍋や自動調理器の購入を検討し、人に聞いたりお店に見に行ったりしていました。ちょうどその頃、炊飯器が古くなり、併せて買い換えようとしたのですが、いろいろと調べると炊飯器でできる料理もたくさんあることがわかり、新しい家電は買わずに炊飯器一台で済ませることにしました。

炊飯器料理の作り方はというと、材料や調味料を入れて、スタートボタンを押すだけ。自分で作るより美味しくて「あれ…？」となりましたが（笑）、時短した分、副菜をもう一品作ったり子どもと遊ぶ時間が長くなったりと、うれしいことばかりでした。いまの料理担当の旦那は、電子レンジを使って時短をしています。

（平野）

以前は、作り置きもしていましたが、うちの家族は作り置きしたものは日が経つにつれて食べてくれなくなります（泣）。そこで、子どもが食べてくれるレシピ表を用意し、基本的に毎日ご飯を簡単に作り、廃棄がないように買い物した分を一週間程度で使い切るようにしています。調味料などはストック表を作り在庫切れがないようにして、すぐに食べられるおかずは生協で冷凍食品を頼み、ストックしています。ちょっと多めに作ったおかずを二日かけて食べることが多いです。また、使い回しできるおかずを作ることも多いです（例えば、重ね煮でスープ→具材をタコライスやオムライス→最後はカレー粉を入れてカレーやそれを具材に簡単春巻きなど）。

仕事から帰って30分以内で作れるもので、簡単な定番メニューばかりですが、子どもたちがたくさん食べてくれればそれでオッケー！　もちろんお惣菜やテイクアウトの日もあります。

（小崎）

作り置きや使い回しおかずで回す！
たまに総菜やテイクアウトも。

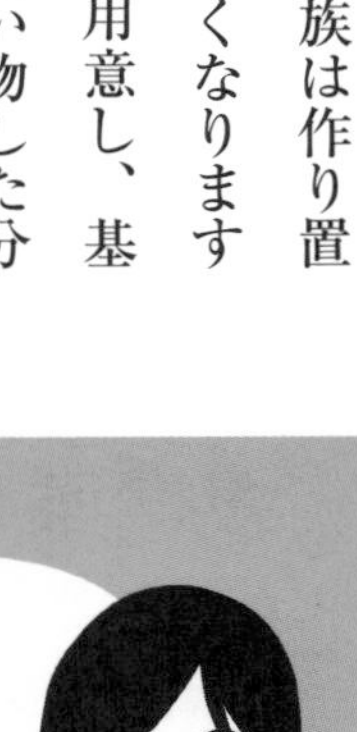

健康的な食材を意識しながら冷凍や電気調理鍋を活用しています。

私が死ぬまでに言いたいセリフランキング1位は「趣味は料理です」というくらい、料理は苦手です。買い出しは好きですが、献立を考えるのが苦手。私のいまの課題はここですね（笑）。何とか楽しく日々の食生活を進めたいものです。夫が料理が好きで救われています。

献立を考える上では、健康的な食材と言われている「まごわやさしい」（「まめ」「ごま」「わかめ」「やさい」「さかな」「しいたけ」「いも」）をできるだけ意識するようにしています。魚はあまり買うことがないため、しらすや鰹節を使うなどしています。コープの大豆のドライパックを使ったり、きのこミックスを冷凍したりして、すぐに使えるようにしています。納豆とバナナは常備☆　ゆで卵メーカーやホットクック（電気調理鍋）にも助けられています！　潔くテイクアウトや実家に駆け込む、もよくやります（笑）。

（吉田）

第4章

24

子どもができると、オシャレやメイクの時間が取れなくなりそうです。

育休前と同じメイクや服装。土日に一週間分を決めています。

育休前後で、私はメイクや服装を変えていません。子どもたちはみんな知っていますが、私は「ピンクが大好き」な先生で、持ち物はピンクばかりです。服装にできるだけピンクを入れていたいです。子どもたちの目にも慣れたのか、「今日の服装にピンクがないよ、先生！」と言われたり、「アイシャドウまでピンクなの？」と細かく見られたり、他のクラスの子からもチェックされています（笑）。

育休前にそんなやりとりも楽しんでいたので育休後も変えていません。また、子どもたちに毎日見られる仕事なので、身なりには気をつけていたいと思っています。ある程度のおしゃれさと時短のために、私は土日に一週間分の服装を決めています。先週着たコーディネートを避けてみたり、体育があるから着替えやすい服装にしたり、と工夫して選びます。朝、悩まずにその着替えを取るだけで済みます。

（平野）

三人のママで小学校の先生でもありますが、一人の女性として楽しんでおしゃれしたいです。出産前と比べると自分にかけられる時間は少なくなりましたが、少ない時間の中でメイクやファッションを楽しんでいます。服装は、職業柄動きやすいパンツスタイルが多いです。汚れてもいいプチプラに頼ることが多くなりましたが、その中でもお気に入りを着るようにしています。保育園の送り迎えは自転車なのでスカートも履かなくなりましたが、土日の休みの日にお気に入りの一着を着るようにしています。

休みの日に子どもたちを夫に預けて、美容デイをお願いすることもあります。美容室に行き、まつ毛エクステに行き、整えてもらいます。この時間が私のリフレッシュタイムになっていたりします。

（小崎）

服装は少し変わりましたが
楽しんでおしゃれしたいです。

着ていて気分が上がる服や着回ししやすい服を選んでいます。

いままでの仕事服は、チョークの粉などで汚れるので普段あまり着なくなった二軍の服を着ることが多かったです。しかし、子育てを始めて逆転。土日に娘と遊ぶ方がよっぽど服が汚れるので、一軍の服を仕事に、二軍の服を家で着るようになりました。もともと服は大好きなので、自分が着ていて気分が上がる服を仕事に着ていきます。ただ、たくさんの量は持ちたくないので、着回しがしやすい服を選ぶようにしています。ジャケットとパンツのセットアップは着回し力抜群で、それだけできまって見えるのでおすすめです！

もちろん、体育があるときはお気に入りのジャージに着替えています。ジャージ通勤は着替える手間がないのはいいですが、気分が上がらないのでしません。朝、きちんと身なりを整えたり、好きな服を着たりすることは、仕事へのモチベーションアップにつながっています。

（吉田）

第4章

25

時短でできるメイクやヘアメイクの方法はありますか？

平日は同じメイク、ヘアメイクで土日に変化を楽しんでいます。

私は、いつも同じメイク、ヘアメイクです。朝はバタバタしているので変化を楽しむよりも「早く出かけられる状態にしたい」という気持ちが勝ってしまいます。また、前に「先生はその髪型が一番似合っているね」と言ってもらえたことと、自分自身が一番好きな髪型なので、ずっと同じです。

この「いつも同じ」というのが私なりの時短です。いつも同じメイクで同じヘアメイク。それが自分のお気に入りスタイル。メイク道具を買う時も時々変えるくらいで、いつも同じ物を買うのもある意味時短です。もちろん、メイク・ヘアメイクそのものを楽しんだり、変化させることで気分を上げたりする方もいらっしゃると思います。私はそれを、平日ではなく土日のゆとりのあるときに叶えています。家族が「なんだかいつもと違う?」と言ってくれると大満足です（何も言われないことも多々……笑）。

（平野）

結婚してからは独身の頃よりも、自分のための時間を大切にするようになりました。子どもができて、自分のための時間を削らないといけなくなったいまの生活でも、美容にかける時間はなくしたくないと思っています。自分のリフレッシュの時間として大事にしています。学校は髪や肌を労われる職場環境ではない（紫外線、乾燥、砂ぼこり！）ので、日頃のお手入れは念入りにするよう心がけています。お風呂の中でマッサージをしたり、家事をしながらパックをしたり、何かをしながらお手入れをするのが私の時短です。２in１やW洗顔不要などの成分が入っているものもよく使います。

試して良かったことは、まつ毛エクステやアイブロウサロンに行くことで、日頃の化粧時間の短縮ができます。自分ではどうにもならないときは人（サロン）の力に頼ります。（小崎）

お風呂の中でお手入れしたり まつ毛エクステなども活用しています。

髪は長めをキープして編み込みやお団子でアレンジしています。

化粧やヘアアレンジは好きなので自分の気分に合わせてしています。とはいっても、日頃のスキンケアをしっかりしておくことが厚塗りをしなくて済むので、一番の時短な気がします。しかし近頃、シミ、そばかす、クマが気になるようになってきましたね（涙）。そのたびに「笑顔が一番のお化粧よね♡」と自分に言い聞かせてなんとか笑っています。ホントはシミ取りレーザーをしに行きたい……。

また、乾燥はお肌の敵！　なので、お風呂では洗顔はせず、お風呂を出てから化粧を落として、即パックで蓋。パックを放置している間に娘の世話をしたり、髪を乾かしたりしています。髪の毛は、朝、時間がないときは後ろで編み込みにしたり、お団子にしたりして留めます。時間があるときはコテで毛先を巻いて縛ることが多いです。髪の長さは、ショートは寝癖がついて直すのに時間がかかるので（相当なくせ毛）、長めをキープしています。

（吉田）

第4章

26

ママ先生になって、発見や見えてきたことはありますか。

親の大変さや喜びを経験し保護者はすごい！を実感。

保護者の方々はすごい!!　ということをより強く感じました。初任のときから、「いま見えている子どもたちは、保護者の方々が大切に育ててきた数年間があって、いまの子どもたちがいるんだ」ということを忘れないようにしていました。いざ自分が保護者になってみて、夜泣き、なかなか寝ない、急な発熱、トイレまでついてくる（笑）などの大変さや、初めて「ママ」って言った、歩けた、などの喜びを経験しました。保護者の方々のこれまでの育児を身近に感じ、こうして様々なことを乗り超えてかけがえのない子どもたちを育ててきたんだな、と実感することができました。ママ先生として、それは大きな強みです。

また、家族がそれぞれの場所で頑張ることで、家族みんなが成長していると実感しています。新たなステージに上ったようで頼もしく感じます。

（平野）

先生からママ先生になって、働き方も生活スタイルも全く違うし、見えてきたことは何かなあと考えたときに、以前と比べて視野が広がったように思います。いろんな人がいて、それぞれの考え方を認めることができるようになってきました。以前は、「どうしてこの人はこんな考え方なんだろう」と相手を責めることもありましたが、いまは〝いろんな人たちがいて、その人たちにもいろんな背景がある。じゃあ、自分にできることはなんだろう〟〝できなくてもしょうがないときもある〟と心に余裕をもつことができ、相手を認められる柔軟さをもてるようになってきました。

また、家族がいることで、精神的に支えられているような気がしたり、守るべきものがあると強くなったように感じたりします。これから先、生活スタイルの変化に合わせて働き方も変わっていくと思いますが、それでもこの仕事を楽しんで続けていけそうな気がします。

（小崎）

視野が広がり
相手を認められる柔軟さを
もてた気がします。

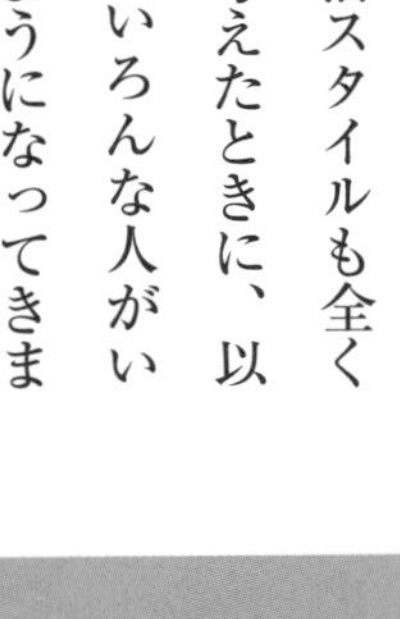

どんなライフステージにいる人も自分に合った働き方が大事！

この仕事の楽しさ、やりがいは、やはりほかの仕事には代えられないものがあります。しかし、妊娠中から復帰後まで、女性が働きにくさを感じる部分は多々あります。やりたくても、頑張りたくてもいままでのように時間がない。体がついていかない。つわり、妊娠中の体調不良、産育休、復帰後の多忙さ、自分のライフステージが変わるにつれて自分に合う働き方に変えていかなければならないと感じます。

私自身は、復帰後の働き方は学級担任、フルタイム一択だったため、時短勤務等について調べることすらしなかったのですが、自分から聞いたり調べたりして制度をしっかりと理解することは大切だと思いました。時間に制約のある私たちの仕事が他の先生にしわ寄せとしていっていることも重々承知です。どんなライフステージにいる人も、働きやすくなればいいなと思います。持続可能な働き方を模索し、今後も発信していきたいです。

（吉田）

COLUMN 03

パソコンのショートカットで時短に!

PCのショートカットキーは毎日使っているとかなりの時短になります。小さなことですが、たかが数秒、されど数秒。覚え方も含めて私がよく使う順にご紹介します。「Ctrl＋C」（コピー：CopyのC）、「Ctrl＋V」（ペースト：ぺ（V）ったり貼り付けるV）、「Ctrl＋X」（切り取り：はさみのマークのイメージ）、「Ctrl＋Z」（元に戻す：Zが左矢印に見える…笑）、「Ctrl＋A」（すべて選択：AllのA）…まだいろいろあります。

また、学校の共有フォルダなどに入っているよく使うファイルはデスクトップにショートカットを置いておくと、いちいち階層の深いところまでクリックする必要がなくなります。個人写真のフォルダのショートカットを置いておくと、学年部で子どもについて話す際に顔をすぐに見ることができて、すぐに顔と名前が一致するようになります。

（吉田）

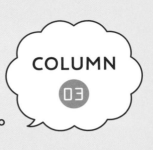

第5章

これからのキャリアと人生

第5章

27

いま、何かに挑戦したり、意識的に努力していることはありますか。

仕事と家庭で忙しい中でも、勉強会や本で学んでいます。

より良い授業、学級経営のために勉強会に参加したり、本を読んだりしています。様々な環境で育ってきた子どもたちが一つの学級として一年間過ごすのでいろいろなことが起きますが、責任をもって取り組もう、と必死に頑張っています。どんなに頑張っていてもそれが授業や学級に反映されないと意味がないので、目の前の子どもたちに響くものは何か、と模索しています。

仕事と家庭と家事で忙しい中、うまくいかないことも多く、失敗することもあります。それでも学び続けなければ子どもたちの「わかった！」「楽しい！」は実現できない、と思い何とか自分を奮い立たせています。ただ、つらくなってしまうと、そんな担任の先生を毎日目にする子どもたちに良くないと思うので、オンオフの切り替えを上手にして、「これをやったら楽しいだろうなあ！」とわくわくしながら学んでいます。**（平野）**

ママ先生として働いている私ですが、自分のことも大切にしたいと思っています。「ママに見えない！」「先生に見えない！」と言ってもらえることは、私にとってはほめ言葉です。「ママだから」「先生だから」という固定観念にとらわれずに、様々なことに挑戦し続けられる自分でいたいと思います。

何か新しいことを始めるときには「しない後悔よりした後悔」という言葉を心がけています。ネガティブ思考になった私の背中をエイッと押してくれる言葉です。

現在は育休中に挑戦したInstagramでママ先生×iPadをテーマにアウトプットをしています。全国のママ先生とつながりができ、自分のコミュニティが広がりました。

（小崎）

ママ先生×iPadをテーマにアウトプットしています。

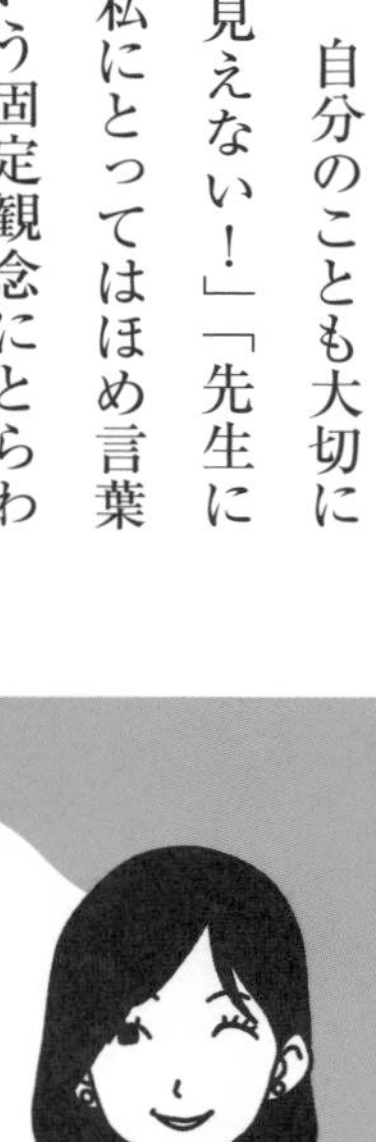

SNSで思考をアウトプットしつつ異業種の方から学んでいます。

私は一度きりの人生、毎日を楽しく生きていきたいと思っています。死ぬまでに幸せをたくさん感じたい。自分の選んだ道で、挑戦して、失敗して、転びながらも、それを笑い話にして生きていきたい。その時その場で挑戦したいこと、知りたいこと、見つけたいこと、自分の「やりたい！」気持ちを大事にしています。誰かと比べるんじゃない。自分が納得いく、自分が笑っていられる生き方や考え方を模索しています。

以前までＳＮＳは友達の近況を知る、自分の近況を知らせるツールとして使っていました。でも、小さな画面を見ながら友達の近況をずっと覗くこと、比べることはやめました。いまは、ＳＮＳは自分の思考をアウトプットすることや、癒し、面白さ、学びを求めて活用することが多いです。また、普通に生活しているだけでは出会えないような異業種の方や、考え方が似ている方や違う方と出会えることがあり、ＳＮＳの使い方を変えたことで世界が広がりました。

（吉田）

第5章

28

自分の時間が全く無くなりそうで不安です。どのように自分時間を捻出し、どんな風に過ごしていますか？

寝かしつけの後や土日に時間を取り勉強や買い物をしています。

私がお迎えの日は寝かしつけた後から1～2時間、旦那がお迎えの日は帰宅後から2～3時間、自分の時間が取れます。旦那が料理全般を担当していることと、子どもたちが翌日の準備、トイレ、お風呂、着替えなど大抵のことは自分でやるので自分の時間が確保できているのだと思います（子どもたちは何でもやりたがる性格だからです。お子様のタイプによると思います）。また、土日は、旦那と相談し、例えば「土曜日の午前は私が子どもたちを見るから、午後はよろしくね。日曜日はみんなで公園に行こう！」と決めます。家族の時間も確保しつつ、旦那と私それぞれの時間も取っています。

こうして、一週間に最大10時間ほど自分の時間があります。この時間を上手に使えるよう努めています。勉強ばかりではなく、洋服を見に行ったり、カフェタイムをとったり、という時間も楽しむようにしています。

（平野）

私は自分時間がないとストレスが溜まってしまうので、子どもたちが寝た後の時間を自分時間に捻出しています。自分時間には夫と撮り溜めていたドラマを観たり、サブスクで映画を観たり、半身浴をしながら漫画を読んだりしてゆったり過ごしています。家事や終わっていない仕事をするときもあります。また、体が疲れているときには無理せず子どもたちと寝ることもあります（夫はこれを〝計画的寝落ち〟と呼びます）。

また、りなさんと同様に土日は夫婦交代で自分時間を取ります。カフェ、ランチ、ショッピングなど子どもと一緒では行きにくいお店に行くことが多いです。

ママだとなかなか一人になれる時間が取れませんが、たまにもらえる自分時間があるとリフレッシュできて私も笑顔でいられます。そして夫も私もストレスを溜めないようにお互いに自分時間を楽しんで、子育ても楽しめるようにしています。（小崎）

夜にドラマや映画を観たり
お風呂で漫画を読んだりし
ています。

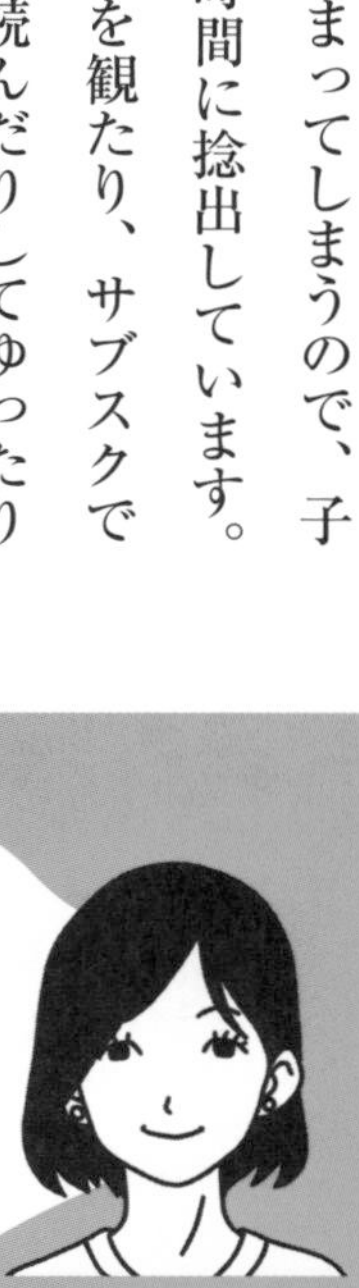

早起きや一時保育で時間をつくり読書や片づけで自分を整えています。

以前は、寝かしつけた後に、たっぷりと取るようにしていましたが、それだとどうしても夜更かししてしまい、寝不足でイライラ……の悪循環でした。そこで、朝型生活に切り替え、睡眠を優先することで余裕が生まれました。もちろんいまだに夜更かしも好きです（笑）。

朝は制限時間があるからこそ、「いま自分が一番優先すべきことは？」と考えて、だらだらと時間を無駄にすることが減りました。朝こそ、自分を満たしてくれることをします（ドラマ、読書、音楽、片づけ、ストレッチなど……寝たいときは睡眠を優先します）。

また、両親や保育園に１・２時間でも預けて自分だけの時間を過ごすと、娘にも笑顔で接することができます。そのときに大切にしているのは、罪悪感を手放して、ポジティブに捉えることです。

（吉田）

第5章

29

いま、一番大事にしていることをお聞きしたいです。

家族のしあわせが一番です。その上で、夢もあります。

一番大事なのは、「家族の笑顔」です。家族が元気で楽しく笑顔でいることが、私の人生のしあわせです。ありがたいことに、いまそれが叶っています。

その上でさらに目指したいことは、「もっと誰かの役に立ちたい」ということです。私は、小学校卒業までは「楽しいな」と思える毎日でした。憧れの先生にも出会い、小学校の先生を目指しました。しかし、その後「朝が来るのがつらい」「消えていなくなりたい」と思うようなできごとがありました。たくさん泣きましたが、その時向き合って話を聞いてくれる人もいました。だから、大切な人や子どもたちにつらいことがあった時に、上辺ではなく心からの「わかるよ」と言葉をかけて共感することができます。そんな自分の経験を生かし、苦しむ人に寄り添い、「大丈夫だよ、生まれてきてありがとう」と言いたいです。

（平野）

いま、一番大事にしたいことは「家族と過ごす時間」です。子どもがいて大変なこともあるし、確実に自分の時間は少なくなりましたが、それよりも得たものは大きいです。

家に帰れば子どもたちが「ママーっ」と出迎えてくれて、ぎゅっとハグしてとてもしあわせです。誰かのために生きるって素敵なことだなあと感じます。子どもたちも保育園で頑張っているし、私も仕事頑張ろう！　という気もちにさせてくれます。

また、職場に行けば自分を必要としてくれる人たちがいて、みなさんに支えていただき仕事ができています。

ママ先生の自分も、家族も、自分の周りにいる人も大切にできるように、謙虚さを忘れず30代も楽しんでいきたいと思っています。

（小崎）

家族と過ごす時間です。毎日子どもたちとハグしています。

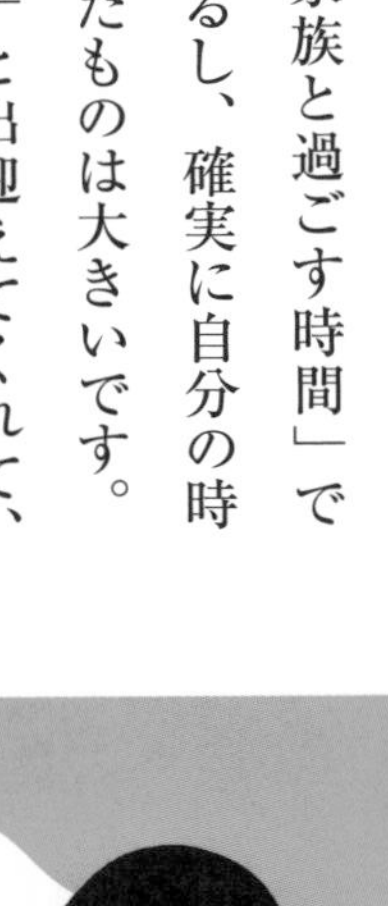

欲張りかもしれませんが自分も、家族も、仕事も全部大事です。

欲張りですが、私は自分にも家族にも仕事にも愛を注いで楽しんで生きていきたいです。もちろん研究授業前など、どうしても仕事のことを考える時間が多くなる時期があるのは仕方がないことですが、自分の中でバランスを取ることを大事にしています。バランスが崩れそうになったら潔く寝たり、娘を預けたりして自分を大事にするし、仕事への不安が大きくなったら、仕事の段取りを組む時間をたっぷり取る。その分、とことん娘と遊ぶことも。そうすると、どの時間も楽しむことができますし、育児ストレスも感じにくくなります。

そして、毎日の疲れを癒すために、家をパワースポット化しています。温泉や旅行に行きたいけど、なかなか行けない。ならば家を一番の癒しスポットにすればいい！　と考え、観葉植物を置いたり、好きな雑貨や香りを置いたり……。お気に入りのものに囲まれると、メンテナンスや片づけの時間も楽しい時間になります。

（吉田）

第5章

30

ママ先生におすすめの本やウェブサイトがあったら教えてください。

本からは読み返す度に新しい発見がありたくさんのことを教わっています。

人生で一番読んで良かった、と思える本があります。D・カーネギー著『人を動かす』です。タイトルから「上に立って人を動かす」と思いがちですが、楽しく生きるヒントがたくさんある本です。出会って10年以上経つ本ですが、読み返す度に新しい発見があります。また、学生時代にお世話になった、谷和樹先生のご著書には何度も救われました。教師としての在り方、授業をする上で基本となること、たくさんのことを教わりました。

ウェブサイトは、仕事でよく使わせていただくのは「ちびむすドリル」さん（株式会社パディンハウス）や、「キーボー島アドベンチャー」さん（スズキ教育ソフト）です。ちびむすドリルさんは、学習教材だけではなくカレンダー等もあり、お世話になっています。キーボー島アドベンチャーは子どもたちが大好きで、楽しみながらタイピングの練習ができます。**（平野）**

教育時事は知りたいので、目次が気になった教育雑誌には目を通すようにしています。また、自分のモチベーションを上げるためにファッションの雑誌も読むことが多いです。サクッと読めるので電子書籍で読むことが多いです。電子書籍だとKindleがオススメです。

ウェブサイトでは、出版社さんのホームページをよく読みます。コラムや教育関係の記事が勉強になります。また、iPadでプリント教材を作ることが多いので、フリーのイラストのサイト（いらすとや、かきかたプリントメーカーなど）を閲覧することが多いです。プリントを作る際の挿絵にイラスト集も使います。教育系はイクタケマコトさん、モリジさんのものを使わせてもらっています。学校に関するイラストがたくさん載っているので使いやすいです。

（小崎）

教育雑誌や出版社のサイト
イラストのサイトをよく見ます。

ビジネス書や暮らしの本 YouTubeなど多様な人の 考え方に触れています。

本屋に行くのが好きで、育休中は娘を抱っこ紐に入れて本屋に行っていました。そのとき話題になっているビジネス書や、暮らしの本を読むことが多いです。先生に向けての本ではないからこそ学べる、多様な生き方や考え方があって面白いです。また、隙間時間にサクッと読めるのでKindleもおすすめです。Kindleで雑誌をチェックして、この服が欲しい！と、お目当てを決めて買い物に出かけるときもあります。

娘がよく動くようになってからはなかなか時間が取れないので、車の中でVoisy（ボイシー）でラジオを聞くことがあります。Voisyは、家事や寝かしつけをしながら聞くこともできるのでおすすめです。YouTubeのマコなり社長や中田敦彦さん、助産師ＨＩＳＡＫＯさんのチャンネルはいろいろな生き方や考え方、気楽な子育てを学べておもしろいです。

（吉田）

COLUMN 04

ママ先生として働く私を支えてくれたもの

復帰前、不安な気持ちでいっぱいだった。育休中は、現場の情報もわからない。そんな自分を支えてくれたのは、尊敬する先輩先生の教師サークルだった。オンラインだったので、参加できたのだ。

教師として悩み、時間がかかるのは、授業や、学級経営に関わること。しかし、母になると同僚の先生と話したくても、時間がない。そんなとき、オンラインで、自宅でも、「この教材をどう授業するか」「学級での困りごとをどう解決するか」という具体的な話ができ、本当に支えられた。

授業や学級が安定すれば、時間ができ、心が落ち着き、教師としても母としても楽しく過ごすことができる。これからも、仲間と学び、ママ先生としての生活を楽しんでいく。

自身で女性の先生のためのサークルも作った。詳しくは、Instagram（@yukiyukiyuki_t.new）をご覧いただきたい。

（野村）

第6章

教員の産休・育休制度

本稿に記載されている内容は、２０２２年12月現在のものです。また、自治体によって制度の名称や詳細が異なる場合がありますので、各種制度の活用を検討される際には、それぞれの勤務先の制度をご確認ください。

教職員の妊娠・出産・育児に関する休暇制度等について

本書を手に取っている方の中には、「**育児のために制度を活用したいけど、どんな制度があるかわからない**」という方も少なくないのではないでしょうか。私は学校事務職員として勤務しながら育児休業を三度取得したのですが、その際には、たくさんの資料をかき集め、様々な視点から必要となる情報を収集しました。

ここでは、イザというときに役立つように、できる限りわかりやすく妊娠・出産・育児に関する休暇制度等について紹介していきます。気になるけど聞きにくい（？）、お金（給料やボーナス、昇給等）の話についても触れていきます。

ところで、地方公務員である公立学校の教職員には、一部の規定を除き**労働基準法**が適用されるため、勤務時間やその他の勤務条件については、同法の制約の範囲内で定められています。また、**地方公務員法第24条**には、「国及び他の地方公共団体の職員との間に均衡を失しないように当該地方公共団体の条例で定めること」と規定されています。

妊娠・出産・育児に関する休暇制度等については、取得する時期や取得する教職員の性別によって様々なものがあります（図1参照）。

なお、各種制度は地方公共団体ごとに条例で定められているため、勤務する地方公共団体によっては、本書で紹介している内容について制度の名称や詳細が異なる場合があります。各種制度の活用を検討される際には、それぞれの勤務先の制度を必ず確認するようにご留意ください。

図１　妊娠・出産・育児に関する休暇制度等一覧

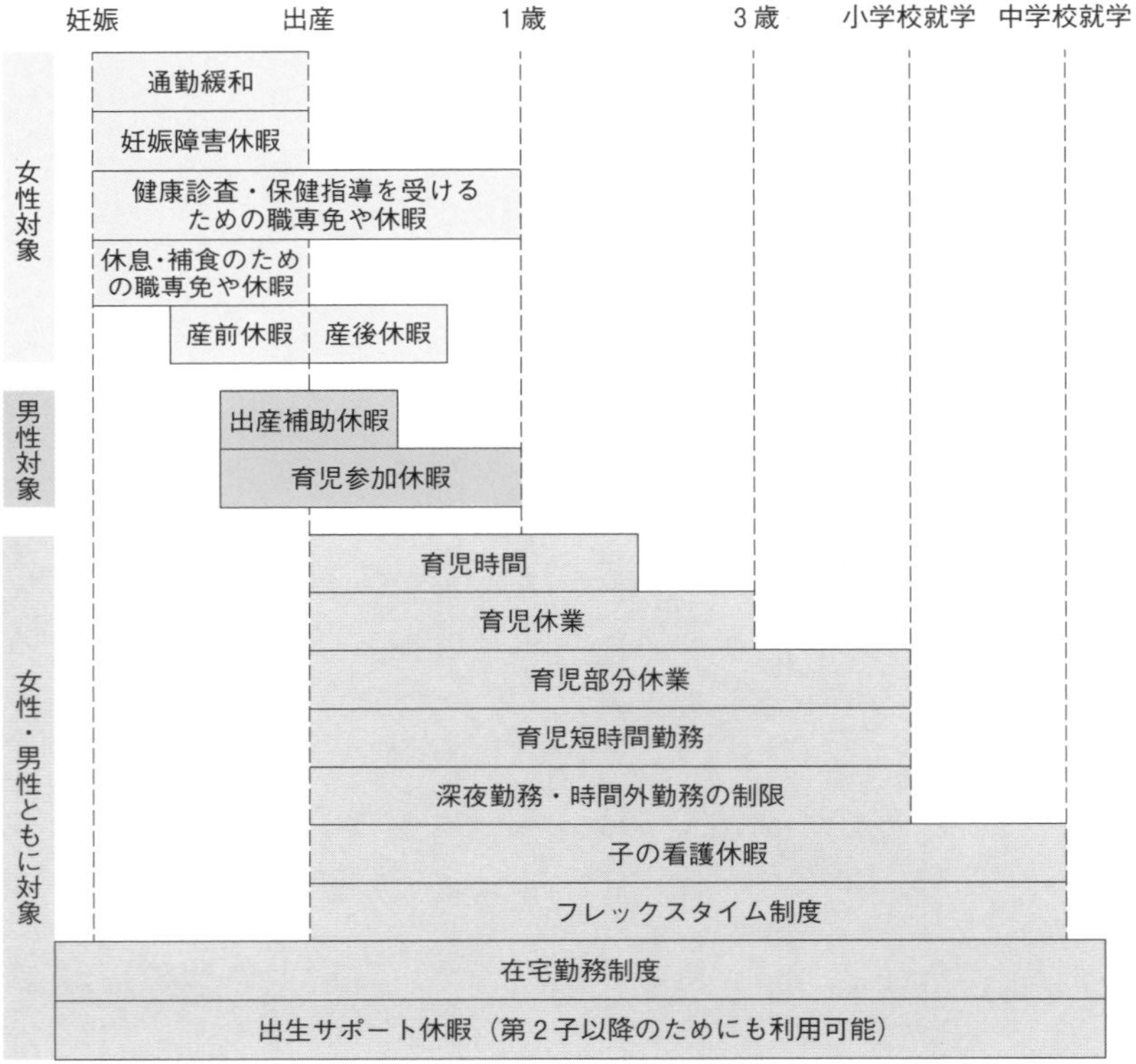

妊娠
出産
１歳
３歳
小学校就学
中学校就学
女性対象
通勤緩和
妊娠障害休暇
健康診査・保健指導を受けるための職専免や休暇
休息・補食のための職専免や休暇
産前休暇
産後休暇
男性対象
出産補助休暇
育児参加休暇
女性・男性ともに対象
育児時間
育児休業
育児部分休業
育児短時間勤務
深夜勤務・時間外勤務の制限
子の看護休暇
フレックスタイム制度
在宅勤務制度
出生サポート休暇（第２子以降のためにも利用可能）

妊娠前・妊娠中における休暇制度等について

妊娠前に活用できる制度としては、**不妊治療に係る通院等のための出生サポート休暇**があり、男女ともに取得することができます。

また、**妊娠中の教職員が、活用することができる様々な制度があります。**例えば、

・母子保健法に規定する医師の保健指導や健康診査を受ける場合（出産後1年以内のものも対象）
・業務が母体・胎児の健康保持に影響があるため、勤務中に休息・補食する場合
・通勤時の混雑による影響があるため、通勤時間帯を変更する場合
・つわりなど妊娠による症状のため勤務が困難な場合　等

さらには、妊娠中である教員の負担軽減のための補助教員が配置される場合も

あるなど、働きながら安心して出産できるよう、様々な環境が整備されています。妊娠中の体調については個人差があるため、決して無理することがないように本人も周囲も互いに思いやりの心を持って出産に向けた準備を進めておくことが重要です。

産休（産前休暇・産後休暇）について

産休とは、産前休暇と産後休暇のことを指します。概要をまとめたものが表1です。産前休暇は、出産予定日の8週間前（多胎妊娠の場合は、14週間前）から取得することができます（地方公共団体によっては、6週間前からと定め、加算期間を設けている場合もあります）が、いつから取得するかは任意です。また、**取得するためには、本人から申請しなければならない**という点にも注意が必要です。

なお、労働基準法では、出産予定日の6週間前から産前休業を取得できるとさ

表１　産前休暇・産後休暇について

	産前休暇	産後休暇
対象	妊娠中の職員	出産した職員
要件	出産予定の職員が申し出た場合	職員が出産した場合
取得可能期間	出産予定日の８週間前から出産の日までの申し出た期間 ※多胎妊娠の場合は14週間前から	出産日の翌日から８週間を経過する日まで
給与	支給（減額なし）	支給（減額なし）
ボーナス	支給（減額なし）	支給（減額なし）
共済組合掛金	産前産後休業を開始した月から終了する日の翌日の属する月の前月までの期間の掛金免除（申請が必要） ※産前産後休業とは、「出産日（出産日が出産予定日後の場合は、出産予定日）以前42日（６週）から出産日後56日（８週）までの期間」	
代替教職員	配置あり（女子教職員の出産に際しての補助教職員の確保に関する法律）	
その他	＜出産予定日より早く出産した場合＞ 出産日までが実際に取得する産前休暇となり、８週間より短くなる。 ＜出産予定日より遅く出産した場合＞ 予定日の翌日から出産日までの間も産前休暇となり、８週間より長くなる。	※出産とは、妊娠満12週以降の分娩をいい、流産や早産、死産も含む。

れています（「休暇」ではなく、「休業」という文言が用いられています）。**産前休暇は出産予定日を基準として考えるため、実際の休暇取得日数は、出産日によって8週間より長くなったり、短くなったりすることもあります。**

産後休暇については、出産日の翌日から8週間を経過する日まで取得でき、労働基準法においても8週間と定められています。産前とは異なり、**請求の有無を問うことなく、産後8週間を経過するまでの就業は原則として禁止**されています。ただし、産後6週間を経過してから本人が請求した場合には、就業しても支障がないと医師が認めた業務について就業することができます。民間企業等の場合には、産休中は給与が支給されないこともありますが、公立学校の教職員の場合、産休は特別休暇であるため、期間中の給与については、休暇取得に伴い発生しなくなるもの（通勤手当等）を除いて全額支給され、ボーナス（期末勤勉手当）についても全額が支給されます。その一方で、毎月数万円支払っている共済組合の掛金（給与明細書を確認してみてください）については、本人の申請によって免除されます。さらに、出産時には共済組合から出産費（42万円＋附加金

※原稿執筆時点）も給付されます。

また、**産休期間中は「女子教職員の出産に際しての補助教職員の確保に関する法律」に基づき、代替教職員が配置される**ので、安心して出産・育児に専念することができます。

出産前後に男性が取得できる休暇制度等について

退院後をはじめとして、子の出生直後の時期は、出産した女性への支援が特に必要となります。**配偶者の出産に際しては、出産補助休暇や育児参加休暇が取得可能**です（表2参照）。育児参加休暇については、他に子を養育できるものがいる場合や小学校入学前の第一子等の養育をする場合でも取得することができます。出産日が予定日よりも早くなったり、遅くなったりすることも踏まえて、**取得を希望する場合は、早めに計画し、管理職等に相談しておくことが重要**です。

なお、出産後は、育児休業（後掲）や子の看護休暇などの制度も活用可能です。

表２　出産前後に男性が取得できる休暇制度

	出産補助休暇	育児参加休暇
対象	配偶者が出産した（又は予定の）職員	配偶者が産前産後期間中の職員
要件	配偶者が出産する場合で、 ①出産のための入院や退院の付添い ②出産時の付添い ③出産のための入院中の世話 ④子の出生の届出 等のため勤務しないことが相当であると認められる場合	配偶者が出産する場合で、 ①出産に係る子 ②小学校就学の始期に達するまでの子 の養育のため勤務しないことが相当であると認められる場合
取得可能期間	出産に係る入院等の日から出産日後２週間を経過する日まで	配偶者の出産予定日の８週間前（多胎妊娠の場合は、14週間前）から出産の日以後１年を経過する日まで
取得可能日数	３日	５日
取得可能単位	１日、半日、１時間又は45分	１日、半日、１時間又は45分
給与	支給（減額なし）	支給（減額なし）
その他	出産とは、妊娠満12週以降の分娩をいい、流産や早産、死産も含む。	

育休（育児休業）について

育休とは、育児休業のことを指しますが、公立学校の教職員の育休については、「地方公務員の育児休業等に関する法律」に基づき、地方公共団体の条例で定められています。**育休は、女性も男性も子が3歳になるまで1日単位で取得可能**です。同一の子について原則として2回、男性は、産後パパ育休（子の出生後8週間以内の育休）も加えて、**最大で4回取得することができ、それぞれの期間を1回まで延長可能**です。なお、特別な事情がある場合には、再度の延長が認められることもあります。**父母が同時に取得することも可能**なため、出産直後の時期や配偶者が育休から復帰するタイミングに取得するなど、家庭事情に合わせて柔軟に計画することができます（表3・図2参照）。

次に、みなさんの気になっている育休に関するお金（表4参照）について見ていきます。結論から言うと、**育休中は給与が支給されません**。ボーナス（期末勤

表3　育児休業の期間等について

	女性職員	男性職員
対象	3歳に満たない子を養育する職員	
要件	3歳に満たない子を養育する場合	
取得可能期間	産後休暇終了日の翌日から子の満3歳の誕生日の前日まで	子の出生日から子の満3歳の誕生日の前日まで
取得期間の延長	それぞれの取得期間について、原則1回可能　※特別の事情があれば、再度の延長可能	
取得可能単位	1日	
取得可能回数	同一の子につき、原則2回 ※特別の事情がある場合は3回目取得可能	同一の子につき、原則2回 上記に加えて、子の出生後8週間以内の育児休業（産後パパ育休）についても2回まで取得可能（合計　最大4回まで取得可能）
請求期限	休業開始希望日の1月前	休業開始希望日の1月前 ※子の出生後8週間以内の育児休業（産後パパ育休）の場合は、休業開始希望日の2週間前
年休付与日数	影響なし 1年度に20日付与、前年度からの繰越分も付与	
代替教職員	配置あり（地方公務員の育児休業等に関する法律）	
その他	配偶者が就業していなくても取得可能 配偶者と同時取得可能	

図2　育児休業取得例

＜取得例1＞出産直後や育休復帰時に取得

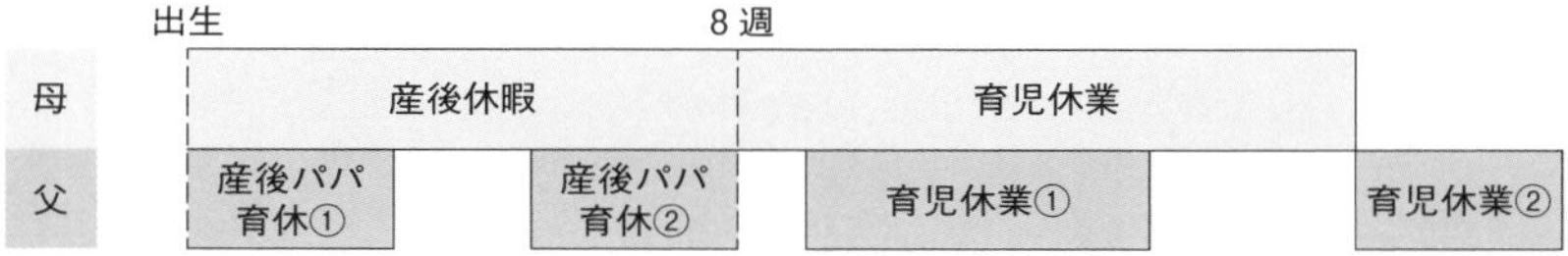

＜取得例2＞交代して取得

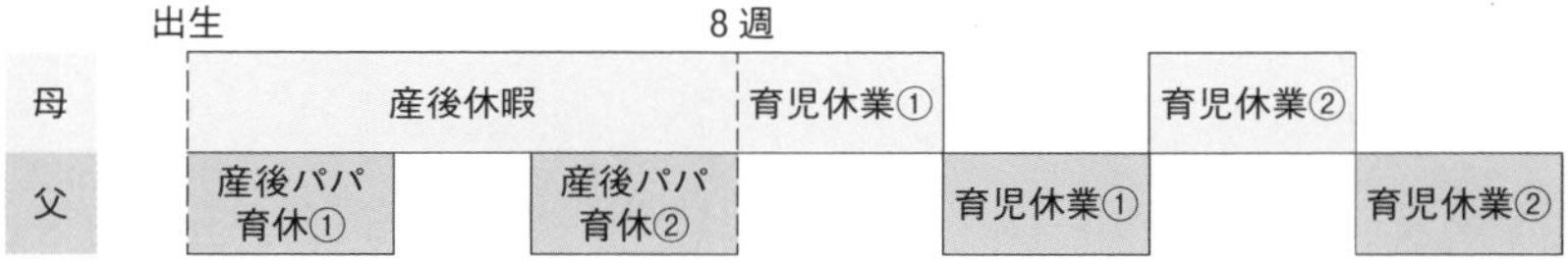

表４　育児休業に関するお金について

給与	無給（育児休業手当金の給付あり）　※月途中の休業や復職は日割支給
ボーナス	基準日（６月１日、12月１日）に休業中の場合は、勤務実績に応じて支給 期末手当…育休期間の1/2を除算して支給 勤勉手当…育休の全期間を除算して支給 ※①「期間の全てが子の出生後８週間以内の育休の期間」と ②「それ以外の育休の期間」は合算せず、①②がそれぞれ１か月以下である場合は、除算の対象外（減額なし）
退職手当	子が１歳に達するまでの期間は、1/3を除算　それ以外の期間は、1/2を除算
昇給への影響	影響なし ※復職後、全休業期間を勤務したものとみなして調整（育休中は昇給時期に昇給しない）
共済組合掛金	申出により、以下の要件に該当すれば、掛金を免除 【毎月の給与】…①②のいずれか ①月末時点で育休中 ②育休の開始日と終了日の翌日が同一月内の場合で、育休期間が14日以上（土日祝含む） 【ボーナス】③④の両方 ③支給月（６月、12月）の末日時点で育休中 ④育休期間が１か月を超えている ※連続する二つ以上の育休期間がある場合は、当該育休の全期間を一つの育休期間とみなす。 ※申出をすれば、育休終了時の改定が可能 （育児休業終了日の翌日が属する月以後３月間の報酬に基づいて、標準報酬を改定）
配偶者の扶養関係	【健康保険（保険証）】（配偶者の扶養には入れない）　本人として加入を継続 【扶養手当】（配偶者の扶養に入れる場合がある） 育児休業手当金を含む向こう１年間の収入見込額が130万円を下回れば、配偶者の扶養に入ることができる。 【税法上】（配偶者の扶養に入れる場合がある） 育児休業手当金を除く年間収入が、 ①103万円以下の場合などは、配偶者控除 ②103万円超201万円以下の場合などは、配偶者特別控除 を受けられる場合がある。

勉手当）は、勤務実績に応じて支給され、1か月以下の育休の場合は減額されません。退職手当を算出する際には育休期間を除算するものの、昇給については、育休期間の全てを勤務したものとみなし、復職後に調整がなされます。また、**申請により育休期間中の共済組合掛金は免除**され、**子が1歳に達するまで育児休業手当金が給付**されます。育児休業は子が3歳になるまで取得できますが、基本的には**1歳以降は手当金の支給はなく、無収入**となります。ただし、父母ともに育休を取得している場合は、それぞれに手当金の給付があり、2人目の育休取得者には、子が1歳2か月に達する日まで最大1年の範囲内で手当金が給付（パパ・ママ育休プラス）されます。保育所等に入所できないなど特別な事情に該当する場合は、最大で2歳まで延長して給付されます。手当金は、「表5の給付額」のように算出されます。具体例として、標準報酬月額が26万円の場合は、下記のとおりとなりま

育児休業手当金計算例（以下の条件の場合）

【標準報酬月額】260,000円　【給付日数】22日　の場合
【標準報酬日額】260,000円×1/22=11,820円

（最初の180日）【給付日額】11,820円×67/100＝7,919円
【給付額】7,919円×22日＝174,218円

（180日経過後）【給付日額】11,820円×50/100＝5,910円
【給付額】5,910円×22日＝130,020円

す。これに加えて、約3万8千円（前述の例の場合の金額）の共済組合掛金が免除されます。育児休業手当金は非課税であり、育休取得前よりも所得税と住民税が減少することも加味すれば、**育休期間の最初の180日までは、育休を取得しない場合と比較して約8割程度の手取り金額が保障されている計算**になります。中には、育休取得によって所得が減少したことに伴い住民税が減少し、予期せずに保育園等の保育料が安くなったという方もいます。

なお、育休中は職務には従事しませんが、信用失墜行為の禁止や営利企業等従事制限、政治的行為の制限など職員としての身分を前提とした服務上の制約は変わりません。

復職後の働き方について

育休期間を終えて、早く学校現場で働きたいという気持ちに駆られる一方で、育児と仕事の両立ができるのかという漠然とした不安を抱いている方もいらっ

表5　育児休業手当金について

給付期間	子が1歳に達する日まで ※パパ・ママ育休プラスの場合、1歳2か月に達する日まで（最大1年間） ※以下の延長要件に該当する場合、2歳に達する日まで
給付期間の延長	【子が1歳6か月に達する日まで給付期間延長】 以下の①又は②に該当する場合 【子が2歳に達する日まで給付期間延長】 1歳6か月に達する日後も以下の①又は②に該当する場合 ※1歳時点の延長手続きにおいて、2歳まで一括しての延長は不可 ※1歳時点から引き続き、全期間において要件を満たしている必要あり ①次の状況にもかかわらず、1歳に達する日後の期間について保育所へ入所できない場合 ・入所希望日が子の1歳の誕生日以前であること ・1歳の誕生日前日までに保育所等への入所を申請していること ②1歳以降、子の養育を行う予定の配偶者が次の事由に該当する場合 ・死亡したとき ・負傷、疾病又は身体・精神上の障害により、子を養育することが困難な状態となったとき ・離婚等により配偶者が子と同居しなくなったとき ・6週間（多胎妊娠の場合は14週間）以内に出産する予定のとき ・産後8週間を経過しないとき
パパ・ママ育休プラス	父母ともに同一の子に対する育休を取得する場合、2人目の育休取得者については、子が1歳2か月に達する日までの間に最大1年間（母は出産日と産後休暇期間を含む）給付
給付額	育児休業により勤務に服さなかった期間1日につき 【最初の180日】標準報酬日額の67％の額を支給（円位未満切捨て）…給付日額A 【180日経過後】標準報酬日額の50％の額を支給（円位未満切捨て）…給付日額B 給付額＝給付日額A又はB×給付日数（土日除く） ※標準報酬日額＝標準報酬月額×1/22（10円未満四捨五入） ※最初の180日には土日を含む ※雇用保険の育児休業給付に準じた給付上限相当額あり
請求期限	2年

しゃるかと思います。**復職後の働き方として、フルタイム勤務以外に育児部分休業や育児短時間勤務を選択することも可能**（表6参照）であり、いずれの制度も**子が小学校1年生になるまで取得できます**。育児短時間勤務は、四つの勤務形態の中から希望する形態を選択します。それぞれ、フルタイム勤務の勤務時間の50～65パーセント程度の時間となり、給与は勤務時間に応じた額が支給されます。また、再取得するには制限があることにも注意が必要です。

育児部分休業については、正規の勤務時間の始め又は終わりの時間について**1日2時間を超えない範囲で勤務しないことができる**とされています。例えば、朝30分遅く通勤したり、1時間早く退勤したりすることが可能で、給与については、勤務しない時間分が減額されます。育児短時間勤務との最も大きな違いは、**育児短時間勤務では勤務しない時間に応じて代替教職員が配置されますが、育児部分休業では代替教職員が配置されない**という点です。お金の面では、育児短時間勤務は退職手当の算出に影響があったり、期末手当が減額されたりしますが、育児部分休業については、昇給や退職手当、期末手当等への影響はありません。また、

表６　育児部分休業と育児短時間勤務

	育児部分休業	育児短時間勤務
対象	小学校就学の始期に達するまでの子を養育する職員	小学校就学の始期に達するまでの子を養育する職員
要件	小学校就学の始期に達するまでの子を養育するため１日の勤務時間の一部について勤務しないことが認められる場合	小学校就学の始期に達するまでの子を養育する場合
取得可能期間	子が小学校就学の始期に達する（満６歳到達後最初の３月31日）まで	子が小学校就学の始期に達する（満６歳到達後最初の３月31日）まで
請求期日	１月前までに必要期間について請求	１月以上１年以下の期間で１月前までに請求（延長時も同様）
期間延長	必要期間ごとに請求	小学校就学の始期に達する日までを限度に延長可能
内容・勤務形態	正規の勤務時間の始め又は終わりにおいて、１日を通じて２時間を超えない範囲内で30分を単位として取得可能 【例】朝30分遅く通勤する、夕方１時間早く退勤する、等） ※育児時間を承認されている場合は、上記の２時間から育児時間の時間を減じた時間を超えない範囲内	取得可能な１週間の勤務形態 ① 週５日×３時間55分（週19時間35分） ② 週５日×４時間55分（週24時間35分） ③ 週３日×７時間45分（週23時間15分） ④ 週２日×７時間45分、週１日×３時間55分（週19時間25分）
再取得	制限なし	当該子について、すでに育児短時間勤務を取得したことがある場合において、前回の育児短時間勤務終了日から１年経過していれば、再度の取得が可能　※特別な事情の場合は、１年を経過していなくても取得可能
給与	勤務しない時間分を減額支給	①給料月額、給料の調整額、地域手当等は勤務時間に応じて支給 ②扶養手当、住居手当等は全額支給
ボーナス	部分休業の総時間数に応じて減額 【期末手当】除算なし（減額なし） 【勤勉手当】部分休業の総時間数を日に換算し、30日を超える場合には勤務しなかった全期間を除算	フルタイム勤務の額を基礎額とする。 【期末手当】短縮された勤務時間の短縮分の1/2相当期間を除算 【勤勉手当】短縮された勤務時間の短縮分相当期間を除算
昇給	影響なし（フルタイム勤務職員と同様の取扱い）	影響なし（フルタイム勤務職員と同様の取扱い）
退職手当	影響なし（フルタイム勤務職員と同様の取扱い）	短時間勤務をした期間の1/3を除算
年休付与日数	影響なし（フルタイム勤務職員と同様の取扱い）	育児短時間勤務の期間の前後において、１週間当たりの勤務時間数又は勤務日数に応じて換算 【上記①の場合】１日あたり３時間55分の休暇が年20日付与 【上記②の場合】１日あたり４時間55分の休暇が年20日付与 【上記③の場合】１日あたり７時間45分の休暇が年12日付与 【上記④の場合】１日あたり７時間45分の休暇が年11日付与 （継続勤務期間が６年６月末満の場合は10日）
代替教職員	配置なし	配置あり（地方公務員の育児休業等に関する法律）
その他	父母が同じ時間帯に取得可能 育児短時間勤務との併用不可 育児時間との併用可 育児休業手当金等の支給なし	父母が同時に取得可能 部分休業との併用不可 育児時間との併用可 育児休業手当金等の支給なし

いずれの制度も1日2回請求することができる育児時間と併用することが可能です。

おわりに

ここまで紹介してきた育休をはじめとする各種制度の活用を検討する際には、何よりも周囲の理解と協力が欠かせません。**できる限り早い時期に家族と話し合い、ご自身の希望を管理職に伝え、相談しておくことが重要**です。保護者や児童生徒への報告時期や方法も配慮を忘れることなく、確認しておく必要があります。また、制度の活用に際して、住民票記載事項証明書など各種証明書類の取得が必要になることもあります。**手続を円滑に進めるためにも必要書類と手続方法について事務職員へ確認し、疑問や不明な点を解消しておく**とともに、**事前に書類を作成しておく**ことをおすすめします。

（井上）

【第6章　参考文献リスト】

・小室淑恵・天野妙『男性の育休　家族・企業・経済はこう変わる』ＰＨＰ研究所、二〇二〇年

・小島彰『事業者必携　最新　出産・育児・介護のための休業・休暇の法律手続きと実務書式』三修社、二〇二二年

・羽田共一『男も育休って、あり？』雷鳥社、二〇二一年

・内閣官房内閣人事局『男性職員・管理職のための育休取得促進ハンドブック　イクメンパスポート』、二〇二一年

・人事院『妊娠・出産・育児・介護と仕事の両立支援ハンドブック』、二〇二二年

・愛知県教育委員会『教職員の子育てサポートブック』、二〇二二年

・秋田県教育委員会『教職員の仕事と子育てガイドブック―仕事と子育ての両立を応援します―』、二〇二二年

・奈良県教育委員会『わくわく子育て！　いきいきライフ！　～みんなで育てる、みんなが変わる～　職員の子育て応援ハンドブック』、二〇二二年

・兵庫県教育委員会『ワーク・ライフ・バランス実現に向けて　～教職員のための休暇制度等～』、二〇二二年

・公立学校共済組合ウェブサイト（最終閲覧日：二〇二二年十一月二十九日）https://www.kouritu.or.jp/

・厚生労働省ウェブサイト「育児・介護休業法について」（最終閲覧日：二〇二二年十一月二十九日）
https://www.mhlw.go.jp/stf/seisakunitsuite/bunya/0000130583.html

・総務省「地方公務員の育児休業等に関する法律及び育児休業、介護休業等育児又は家族介護を行う労働者の福祉に関する法律及び雇用保険法の一部を改正する法律の一部を改正する法律の公布について（通知）」、二〇二二年
https://www.soumu.go.jp/main_content/000812566.pdf

執筆者プロフィール

〈第２～５章〉

平野里那

玉川大学卒業後、横浜市勤務を経て静岡県の小学校教師となり12年目。二人の子どもの母。４年半育休を取り、復帰２年目。とにかく元気でポジティブ。抹茶、チョコパイ、ピンクが大好き。家や教室で笑い合うのがしあわせ。いろいろな経験を生かして誰かの役に立ちたい。Instagram アカウント：@rina_mama_sensei

小崎つぐみ

関西学院大学卒業後、大阪府の小学校教師となり８年目。育休を３回取得し、三人の子育てをしながらママ先生× iPad で時短を目指し、自分も家族も周りの人も大切にできる働き方を目指している。無印良品、新しいコスメを探すこと、カフェ巡りが好き。

Instagram アカウント：@nico_zakimamasensei

吉田聡美

神戸女子大学卒業後、西日本の小学校教師となり８年目。今年の４月に育休から復帰したばかり。わくわくすること、お笑いが大好物で、夫はプロレスラー。「忙しくても自分にも家族にも仕事にも愛を注いで生きる」をモットーに暮らす。好きなものは服、雑貨、インテリア、植物。苦手なものは印刷室での沈黙。

〈第６章〉

井上和雄

兵庫県出身。学校事務職員18年目。育児短時間勤務中の妻とともに、息子四人の子育てを満喫中。事務職員として学校防災に携わりながら、休日には防災士としてママや地域住民を対象とした講演やワークショップを行うなど地域の防災意識向上にも取り組んでいる。

＊本書に掲載されている商品またはサービスなどの名称は、各社の商標または登録商標です。
＊本文に出ている商品名・サービス名及び価格は、2023年２月現在のものです。

先生《せんせい》がママ先生《せんせい》になったら読《よ》む本《ほん》

2023年３月16日　初版第１刷 発行

著　　者　平野里那・小崎つぐみ・吉田聡美・井上和雄
発 行 者　安部英行
発 行 所　学事出版株式会社　〒101-0051 東京都千代田区神田神保町1-2-5
電話　03-3518-9655（代表）　https://www.gakuji.co.jp

編集担当　戸田幸子　編集協力　西田ひろみ　装丁・本文レイアウト　細川理恵
装画　イクタケマコト　イラスト　三浦弘貴　組版・印刷　精文堂印刷株式会社

Printed in Japan　ISBN978-4-7619-2910-7　C3037

「学校のワーク＆ライフシリーズ」刊行に寄せて

21世紀になり、“ワーク・ライフ・バランス”や“働き方改革”という言葉が使われ始めてから、社会の意識は大きく変わりました。

2007年に内閣府が策定した「ワーク・ライフ・バランス憲章」は「仕事と生活の調和＝ワーク・ライフ・バランス」とし、このようなメッセージを伝えています。

・仕事と生活の調和（ワーク・ライフ・バランス）が実現した社会とは、「国民一人ひとりがやりがいや充実感を感じながら働き、仕事上の責任を果たすとともに、家庭や地域生活などにおいても、子育て期、中高年期といった人生の各段階に応じて多様な生き方が選択・実現できる社会」である。

・仕事は、暮らしを支え、生きがいや喜びをもたらす。同時に、家事・育児、近隣との付き合いなどの生活も暮らしには欠かすことはできないものであり、その充実があってこそ、人生の生きがい、喜びは倍増する。

・働く人々の健康が保持され、家族・友人などとの充実した時間、自己啓発や地域活動への参加のための時間などを持てる豊かな生活ができるような社会を目指すべきである。

本シリーズでは、「仕事と生活の両方を充実させる」ヒントになるよう、学校で学び働く方々の「ワーク・ライフ・バランス」向上に寄与していきたいと思います。